# A-Z HEMEL HEMPSTEAD

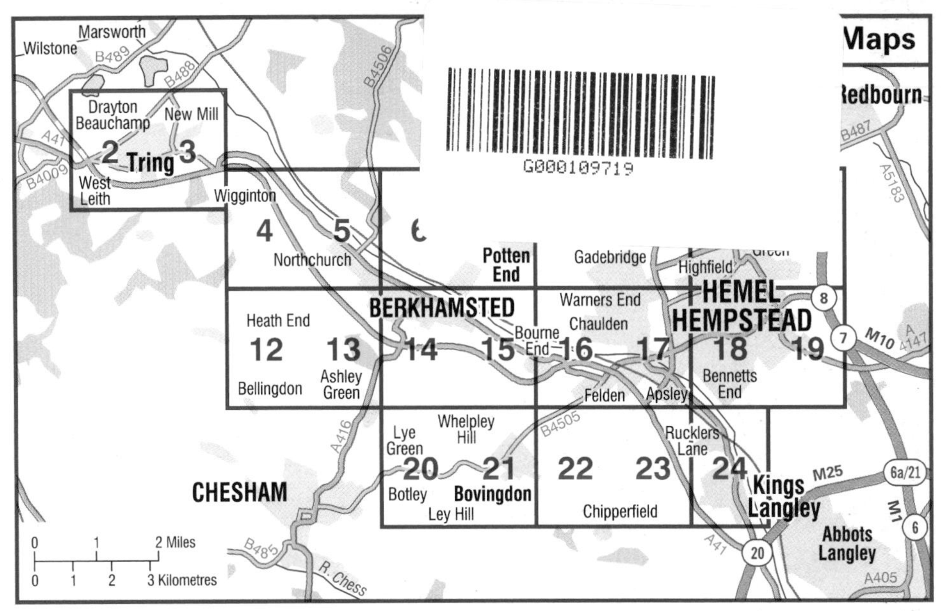

G000109719

## Reference

| | |
|---|---|
| **Motorway** | **M1** |
| **A Road** | A41 |
| **Under Construction** | |
| **B Road** | B4505 |
| **Dual Carriageway** | |
| **One-Way Street** Traffic flow on A Roads is also indicated by a heavy line on the driver's left | → |
| **Pedestrianized Road** | [ ] |
| **Track** | |
| **Footpath** | |
| **Residential Walkway** | |

| | |
|---|---|
| **Railway** | Tunnel / Station |
| **Built-Up Area** | THE MAP |
| **Local Authority Boundary** | |
| **Postcode Boundary** | |
| **Map Continuation** | 8 |
| **Car Park** Selected | P |
| **Church or Chapel** | † |
| **Fire Station** | ■ |
| **Hospital** | H |
| **House Numbers** A & B Roads only | 86 3 |
| **National Grid Reference** | 505 |

| | |
|---|---|
| **Police Station** | ▲ |
| **Post Office** | ★ |
| **Toilet** | ▽ |
| With facilities for the Disabled | ♿ |
| **Educational Establishment** | |
| **Hospital or Hospice** | |
| **Industrial Building** | |
| **Leisure or Recreational Facility** | |
| **Place of Interest** | |
| **Public Building** | |
| **Shopping Centre or Market** | |
| **Other Selected Buildings** | |

## Scale
**1:15,840**

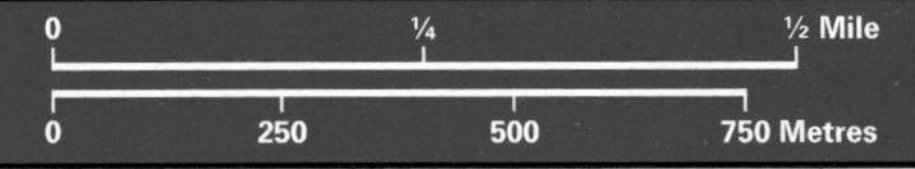

4 inches (10.16cm) to 1 mile
6.31cm to 1 kilometre

---

### Copyright of Geographers' A-Z Map Company Limited

**Head Office:**
Fairfield Road, Borough Green, Sevenoaks, Kent, TN15 8PP
Telephone 01732 781000 (General Enquiries & Trade Sales)

**Showrooms:**
44 Gray's Inn Road, London, WC1X 8HX
Telephone 020 7440 9500 (Retail Sales)
www.a-zmaps.co.uk

**Ordnance Survey** This product includes mapping data licensed from Ordnance Survey® with the permission of the Controller of Her Majesty's Stationery Office.

© Crown Copyright 2002. Licence Number 100017302

Edition 2 2002

Copyright © Geographers' A-Z Map Co. Ltd. 2002

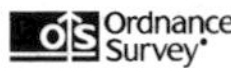

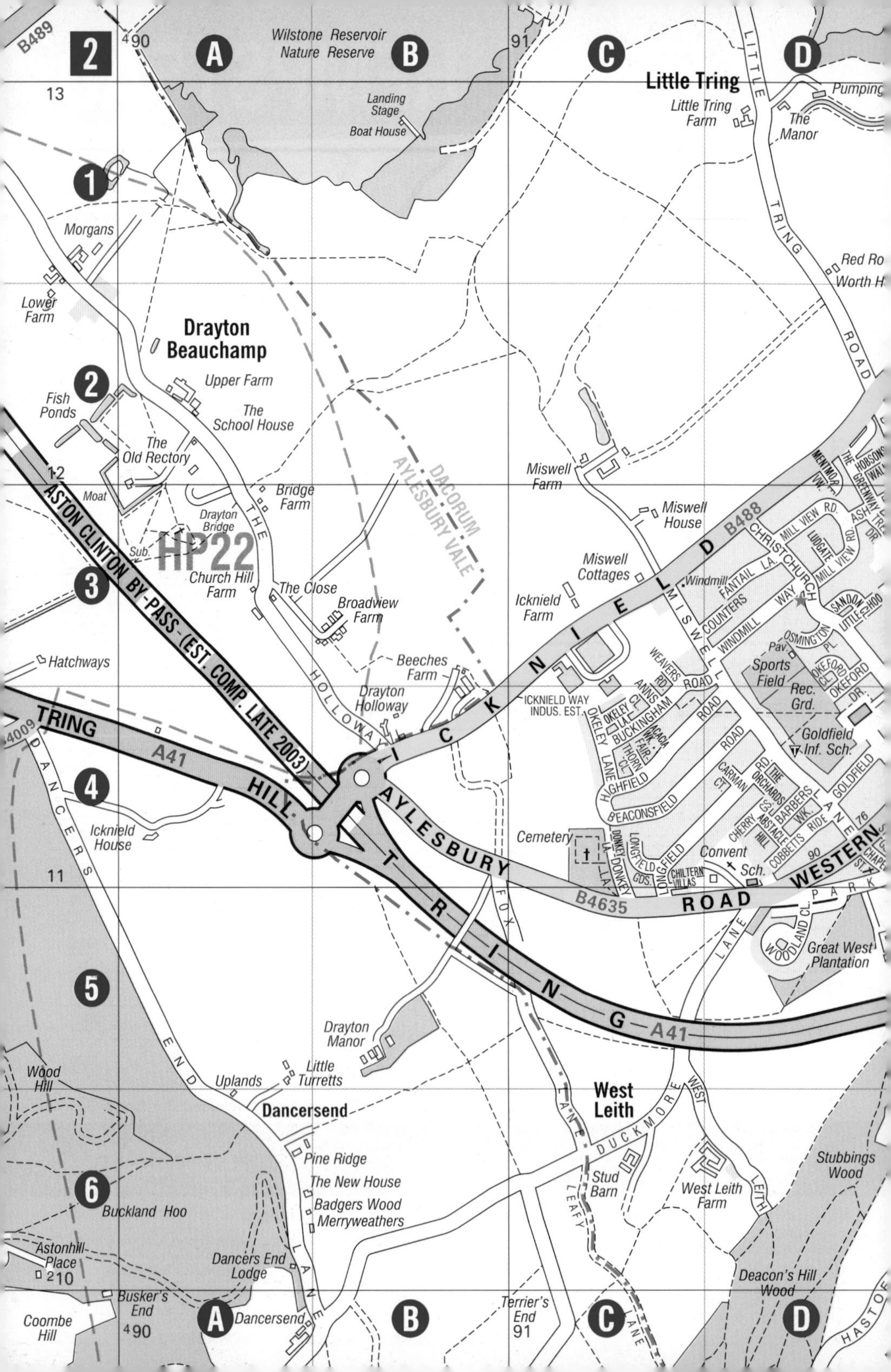
2
A
B
C
D
Wilstone Reservoir Nature Reserve
Landing Stage
Boat House
Little Tring
Little Tring Farm
Pumping
The Manor
Morgans
Lower Farm
Drayton Beauchamp
Upper Farm
The School House
Fish Ponds
The Old Rectory
Moat
Drayton Bridge
Sub.
HP22
Church Hill Farm
Bridge Farm
The Close
Broadview Farm
Beeches Farm
Drayton Holloway
Hatchways
DACORUM
AYLESBURY VALE
ASTON CLINTON BY-PASS (EST. COMP. LATE 2003)
TRING HILL
A41
B4009
B489
Icknield House
Miswell Farm
Miswell House
Miswell Cottages
Icknield Farm
ICKNIELD WAY INDUS. EST.
B488
Windmill
Sports Field
Rec. Grd.
Goldfield Inf. Sch.
Cemetery
Convent Sch.
AYLESBURY
B4635
WESTERN ROAD
WOODLAND CL.
Great West Plantation
TRING
Drayton Manor
Little Turretts
Uplands
Dancersend
DANCERS END LANE
West Leith
DUCKMORE
WEST LEITH
Stud Barn
West Leith Farm
Stubbings Wood
LEAFY LANE
Wood Hill
Pine Ridge
The New House
Badgers Wood
Merryweathers
Buckland Hoo
Astonhill Place
Dancers End Lodge
Busker's End
Coombe Hill
Terrier's End
Deacon's Hill Wood
Red Ro
Worth H
LITTLE TRING ROAD
13
12
11
10
90
91

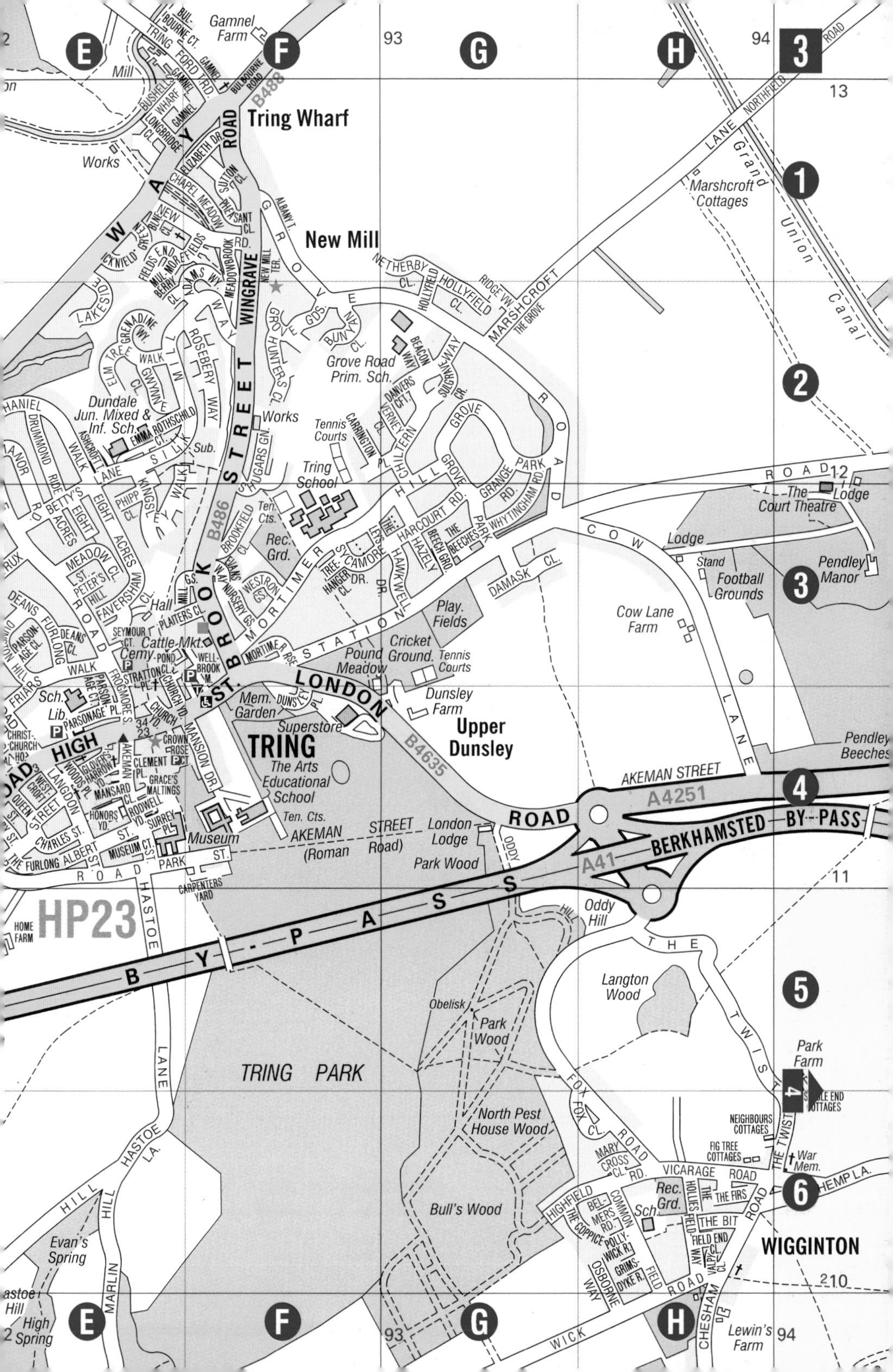

3
E
F
G
H
93
94
13
12
11
210
1
2
3
4
5
6
Tring Wharf
New Mill
Gamnel Farm
Mill
Works
Marshcroft Cottages
Grand Union Canal
Grove Road Prim. Sch.
Dundale Jun. Mixed & Inf. Sch.
Tennis Courts
Tring School
Rec. Grd.
The Court Theatre
Lodge
Pendley Manor
Stand
Football Grounds
Cow Lane Farm
Play. Fields
Cricket Ground.
Pound Meadow
Dunsley Farm
Upper Dunsley
Cattle Mkt.
Cemy.
Hall
Sch.
Lib.
Mem. Garden
Superstore
TRING
The Arts Educational School
Ten. Cts.
Museum
AKEMAN STREET (Roman Road)
London Lodge
Park Wood
Pendley Beeches
AKEMAN STREET
A4251
BERKHAMSTED BY-PASS
A41
B486
B488
B4635
HP23
HOME FARM
BY-PASS
Oddy Hill
Langton Wood
Obelisk
TRING PARK
North Pest House Wood
Bull's Wood
Park Farm
NEIGHBOURS COTTAGES
FIG TREE COTTAGES
War Mem.
WIGGINTON
Evan's Spring
Hastoe Hill
High Spring
Lewin's Farm
WINGRAVE ROAD
BROOK STREET
HIGH STREET
LONDON ROAD
STATION ROAD
MORTIMER HILL
MARSHCROFT LANE
NORTHFIELD ROAD
COW LANE
GROVE ROAD
GROVE PARK ROAD
THE TWIST
VICARAGE ROAD
COMMON ROAD
CHESHAM ROAD
FOX ROAD
WICK ROAD
HASTOE LANE
HASTOE HILL
MARLIN HILL
PARK ROAD
WESTERN ROAD
CHARLES ST.
ALBERT ST.
MEADOW CL.
DAMASK CL.
HARCOURT RD.
WHYTINGHAM RD.
SYCAMORE DR.
HAWKWELL DR.
CHILTERN WAY
HIGHFIELD RD.
OSBORNE WAY

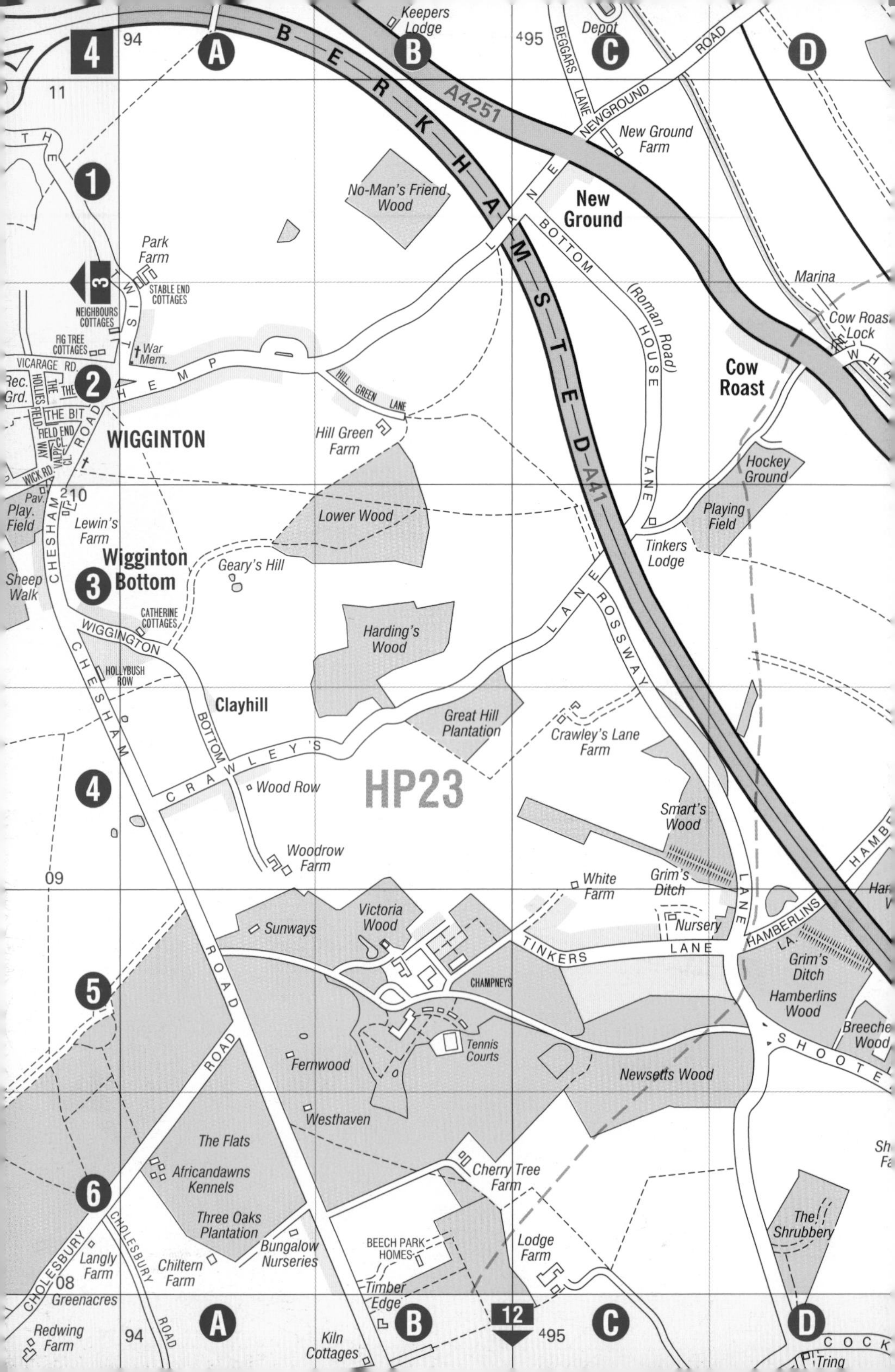
4
94
495
A
B
C
D
11
10
09
08
1
2
3
4
5
6
Keepers Lodge
Depot
BERKHAMSTED
A4251
A41
BEGGARS LANE
NEWGROUND ROAD
New Ground Farm
New Ground
No-Man's Friend Wood
Park Farm
STABLE END COTTAGES
NEIGHBOURS COTTAGES
FIG TREE COTTAGES
War Mem.
VICARAGE RD.
Rec. Grd.
HOLLIES
THE BIT
FIELD END CL.
FIELD WAY
VALPY CL.
WICK RD.
WIGGINTON
HEMP LANE
HILL GREEN LANE
Hill Green Farm
BOTTOM HOUSE LANE
(Roman Road)
Cow Roast
Marina
Cow Roast Lock
Hockey Ground
Playing Field
Tinkers Lodge
Lower Wood
Pav.
Play. Field
Lewin's Farm
Wigginton Bottom
Geary's Hill
Sheep Walk
CHESHAM ROAD
CATHERINE COTTAGES
WIGGINGTON BOTTOM
HOLLYBUSH ROW
Harding's Wood
ROSSWAY LANE
Clayhill
CRAWLEY'S LANE
Great Hill Plantation
Crawley's Lane Farm
HP23
Wood Row
Smart's Wood
Woodrow Farm
White Farm
Grim's Ditch
Nursery
Victoria Wood
Sunways
TINKERS LANE
HAMBERLINS LA.
Hamberlins Wood
Breeches Wood
SHOOTERS
CHAMPNEYS
Tennis Courts
Fernwood
Newsetts Wood
Westhaven
The Flats
Africandawns Kennels
Three Oaks Plantation
Cherry Tree Farm
The Shrubbery
Bungalow Nurseries
BEECH PARK HOMES
Lodge Farm
CHOLESBURY ROAD
Langly Farm
Chiltern Farm
Greenacres
Redwing Farm
Timber Edge
Kiln Cottages
12
COCK
Tring

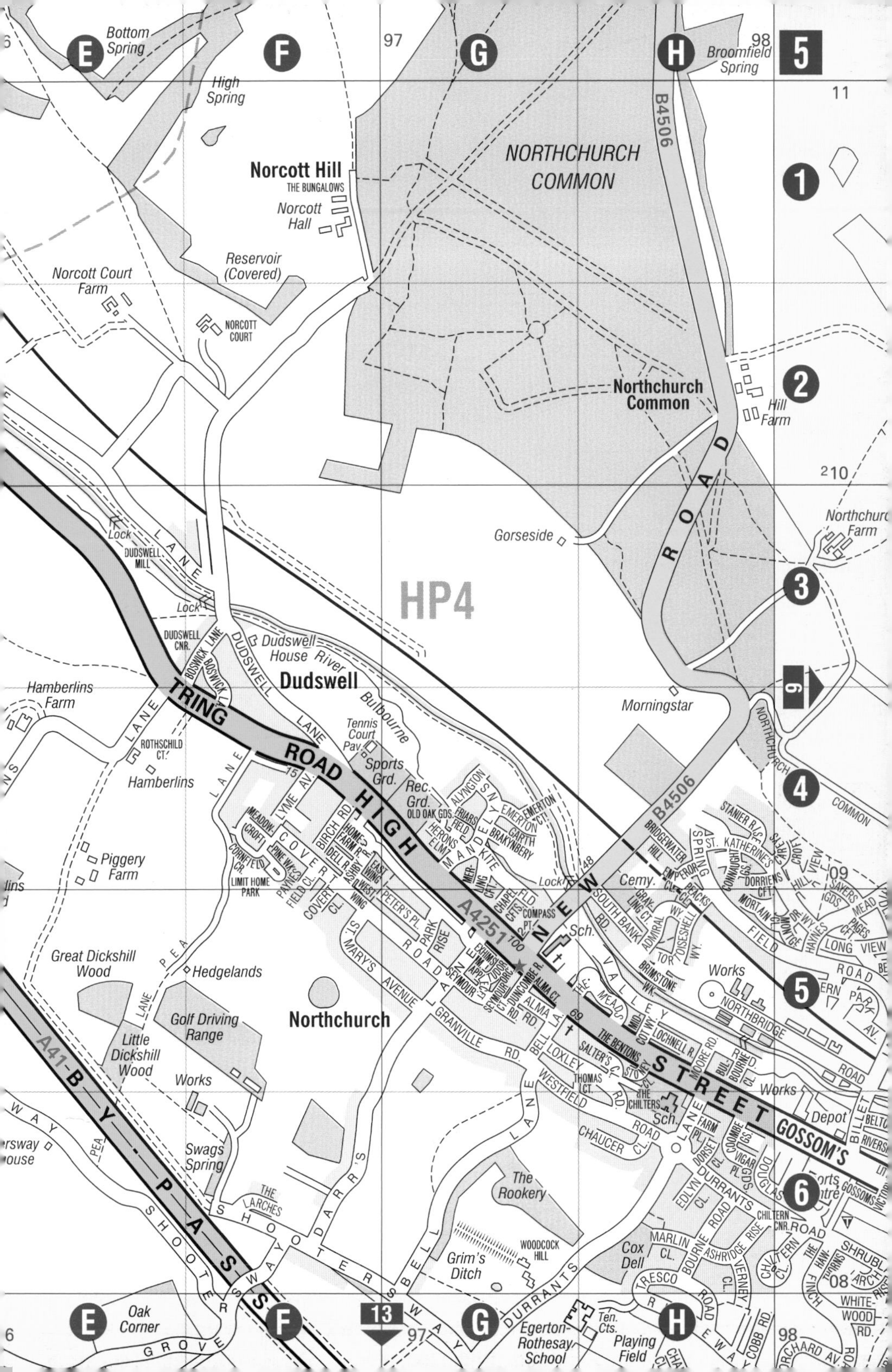

Bottom Spring
High Spring
Norcott Hill
THE BUNGALOWS
Norcott Hall
Reservoir (Covered)
Norcott Court Farm
NORCOTT COURT
NORTHCHURCH COMMON
Northchurch Common
Broomfield Spring
B4506
Hill Farm
ROAD
Gorseside
Northchurch Farm
HP4
Lock
DUDSWELL MILL
LANE
DUDSWELL CNR.
BOSWICK LANE
DUDSWELL LANE
Dudswell House
River Bulbourne
Dudswell
Hamberlins Farm
TRING ROAD HIGH
ROTHSCHILD CT.
Hamberlins
Tennis Court Pav.
Sports Grd.
Rec. Grd.
OLD OAK GDS.
Morningstar
NORTHCHURCH COMMON
Piggery Farm
LIMIT HOME PARK
A4251
NEW
Cemy.
Sch.
SOUTH BANK RD.
VALLEY
Works
NORTHBRIDGE
STREET
GOSSOM'S
Great Dickshill Wood
Hedgelands
Northchurch
Golf Driving Range
Little Dickshill Wood
Works
Swags Spring
THE LARCHES
A41 BY-PASS
SHOOTERSWAY
GRANVILLE RD.
ST. MARY'S AVENUE
DARR'S LANE
BELL LANE
WESTFIELD RD.
CHAUCER CL.
The Rookery
Grim's Ditch
WOODCOCK HILL
Cox Dell
DURRANTS
Egerton-Rothesay School
Ten. Cts.
Playing Field
Sch.
Depot
Works
Oak Corner
GROVE
13
9
97
98
11
210
09
08

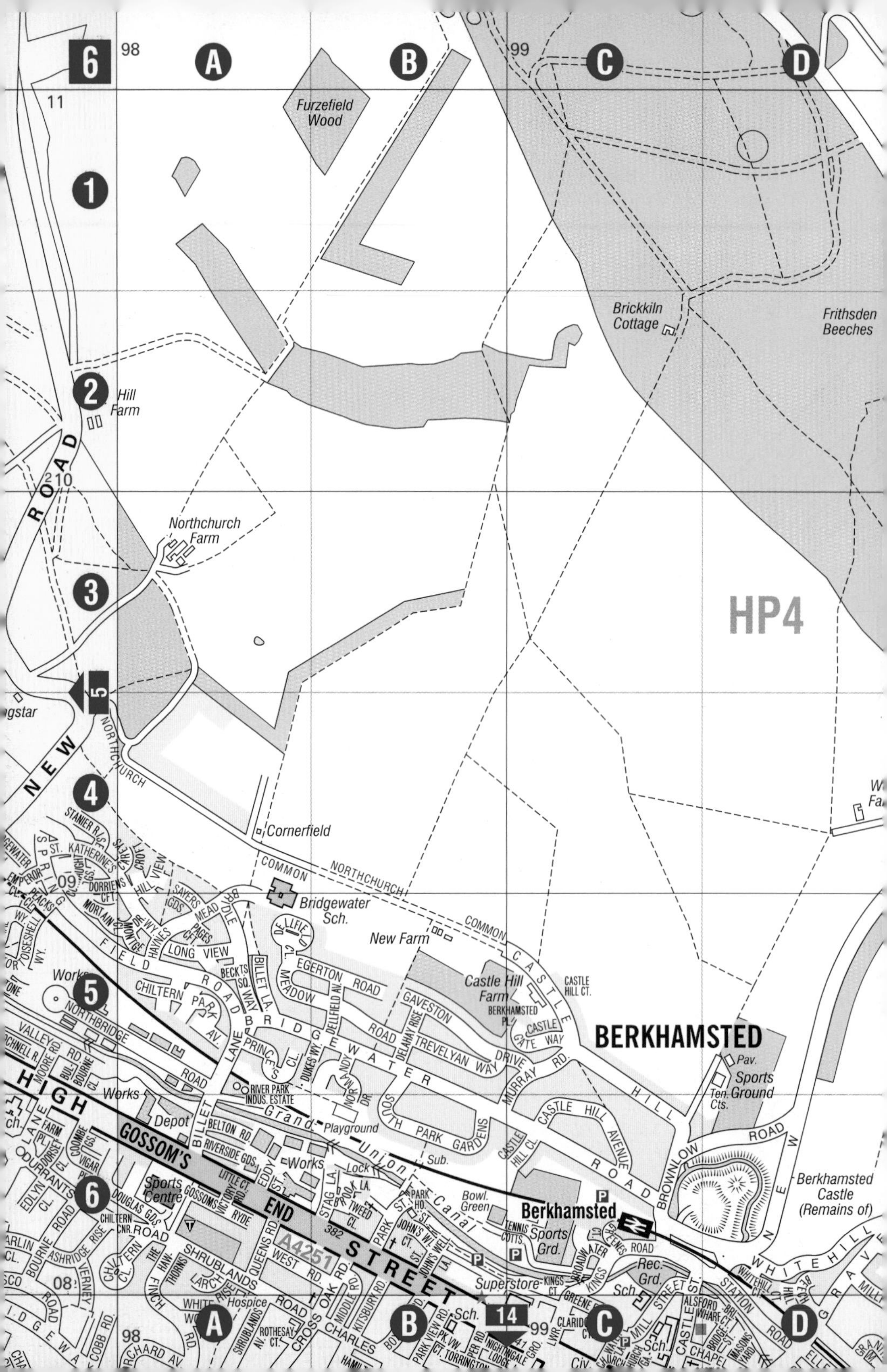

Furzefield Wood
Hill Farm
NEW ROAD
Northchurch Farm
Brickkiln Cottage
Frithsden Beeches
HP4
NORTHCHURCH COMMON
Cornerfield
Bridgewater Sch.
New Farm
Castle Hill Farm
BERKHAMSTED
Sports Ground
Berkhamsted Castle (Remains of)
Berkhamsted
HIGH STREET
GOSSOM'S END
A4251
Superstore
Hospice
Sports Centre
Works
Depot
Playground
Grand Union Canal
BRIDGEWATER ROAD
CHILTERN PARK AV.
EGERTON ROAD
GAVESTON DRIVE
CASTLE HILL AVENUE
CASTLE HILL
BROWNLOW ROAD
SOUTH PARK GARDENS
MURRAY RD.
STATION ROAD

5
14

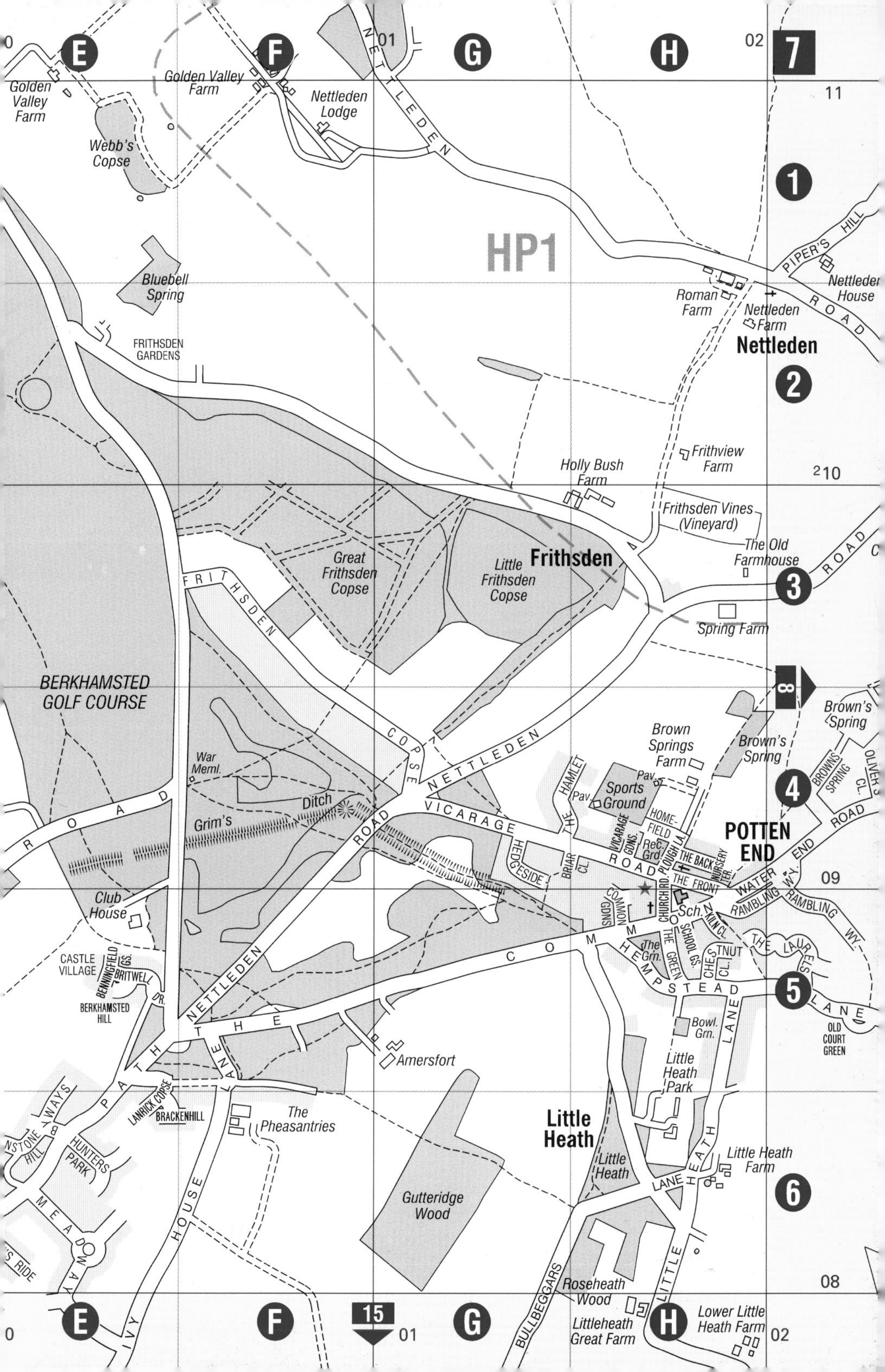
E
F
G
H
01
02
11
210
09
08
1
2
3
4
5
6
8
15
HP1
Golden Valley Farm
Golden Valley Farm
Webb's Copse
Nettleden Lodge
NETTLEDEN
Bluebell Spring
FRITHSDEN GARDENS
PIPER'S HILL
Nettleden House
ROAD
Roman Farm
Nettleden Farm
Nettleden
Frithview Farm
Holly Bush Farm
Frithsden Vines (Vineyard)
The Old Farmhouse
Great Frithsden Copse
Little Frithsden Copse
Frithsden
FRITHSDEN
Spring Farm
BERKHAMSTED GOLF COURSE
COPSE
NETTLEDEN
Brown's Spring
Brown's Spring
Brown Springs Farm
BROWNS SPRING
OLIVER'S
CL.
War Meml.
THE HAMLET
Sports Ground
Pav.
VICARAGE
Grim's Ditch
ROAD
HOME-FIELD
VICARAGE GDNS.
Rec. Grd.
PLOUGH LA.
THE BACK
NURSERY TER.
POTTEN END
HEDGESIDE
BRIAR CL.
THE FRONT
WATER END
WY.
Club House
COMMON GDNS
CHURCH RD.
Sch.
KILN CL.
RAMBLING WY.
CASTLE VILLAGE
BENNINGFIELD GS.
BRITWELL DR.
BERKHAMSTED HILL
THE COMMON
HEMPSTEAD
The Grn.
THE GREEN
SCHOOL GS.
CHESTNUT CL.
THE LAURELS
LANE
OLD COURT GREEN
Bowl. Grn.
PATH
Amersfort
Little Heath Park
LANRICK COPSE
BRACKENHILL
The Pheasantries
WAYS
STONE HILL
HUNTERS PARK
Little Heath
Little Heath
Little Heath Farm
HEATH LANE
MEADOWAY
RIDE
HOUSE
Gutteridge Wood
BULLBEGGARS
Roseheath Wood
LITTLE
Littleheath Great Farm
Lower Little Heath Farm
IVY

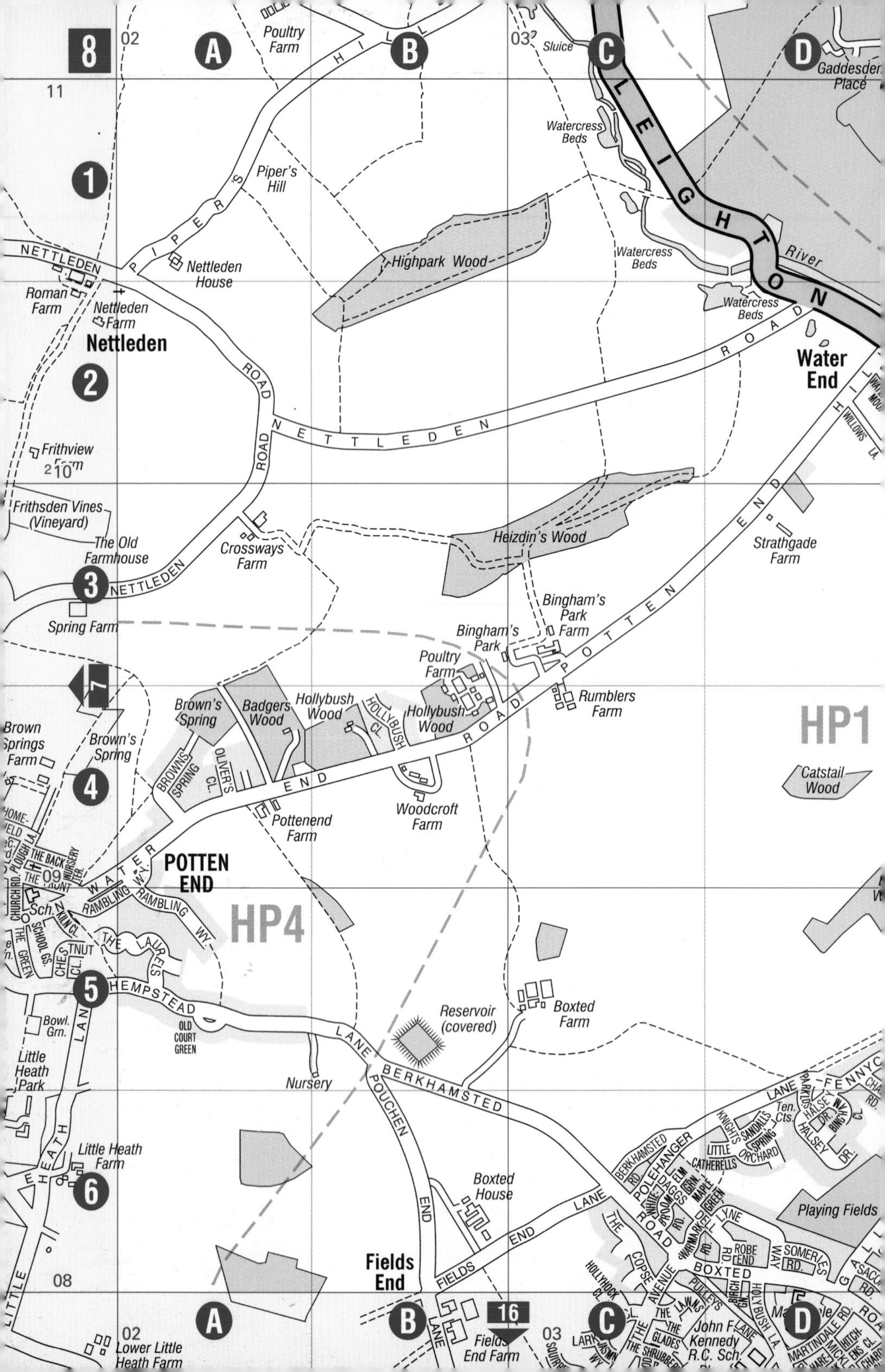

**8** 02

11

**A**   Poultry Farm

**B**

03   Sluice

**C**   LEIGHTON

**D**   Gaddesden Place

**1**

Piper's Hill

NETTLEDEN

Watercress Beds

Highpark Wood

Watercress Beds

River

Nettleden House

PIPER'S

Roman Farm

Nettleden Farm

**Nettleden**

Watercress Beds

**Water End**

**2**

ROAD

NETTLEDEN

ROAD

WILLONS LA.

WILL MOOR

Frithview 210m

Frithsden Vines (Vineyard)

The Old Farmhouse

Crossways Farm

NETTLEDEN

Heizdin's Wood

Strathgade Farm

**3**

Spring Farm

Bingham's Park Farm

Bingham's Park

ROAD

POTTEN

**7**

Poultry Farm

Brown's Spring

Badgers Wood

Hollybush Wood

HOLLYBUSH CL.

Hollybush Wood

Rumblers Farm

**HP1**

Brown Springs Farm

Brown's Spring

BROWN'S SPRING CL.

OLIVER'S CL.

END

ROAD

Catstail Wood

**4**

Woodcroft Farm

Pottenend Farm

HOME-FIELD

PLOUGH LA. THE BACK

THE BARN

THE MOUNT

ORCHARD

THE GREEN

NURSERY

Sch.

09

WATER

RAMBLING

HAMBLING WY.

THE LAURELS

**POTTEN END**

**HP4**

**5**

CHESTNUT CL.

HEMPSTEAD

THE HEATH

LANE

CHURCH LA.

SCHOOL LA.

Bowl. Grn.

OLD COURT GREEN

LANE

BERKHAMSTED

Reservoir (covered)

Boxted Farm

FENNYC

CHA

LANE

Ten. Cts.

HALSE

RD.

PATTONS

SANDALS

KINGS ORCHARD

LISPRING

HALSEY DR.

Little Heath Park

Nursery

POUCHEN

LITTLE CATHERELLS

Little Heath Farm

BERKHAMSTED RD.

POLEHANGER

DAGGS

ELM

MARLE

AGREEN

**6**

END

Boxted House

BERKHAMSTED

LANE

POLEHANGER LA.

PARMA

RISE

RD.

LYNE RD.

ROBE END

WAY

SOMERIES RD.

ASAGA RD.

**Playing Fields**

Little Heath

THE COPSE

PULLEYS

AVENUE

**BOXTED**

MARTINDALE RD.

HOLT

08

02

Lower Little Heath Farm

**A**

**B**

03

**C**

**D**

Fields End

LANE

FIELDS

END

16

Fields End Farm

SOUTH

LARKS

HOLLYBUSH CL.

THE GLADES

THE SHRUBBE

John F. Kennedy R.C. Sch.

MARTINDALE RD.

HOLTBUSH LA.

HITCH

MEAD

MEAD RD.

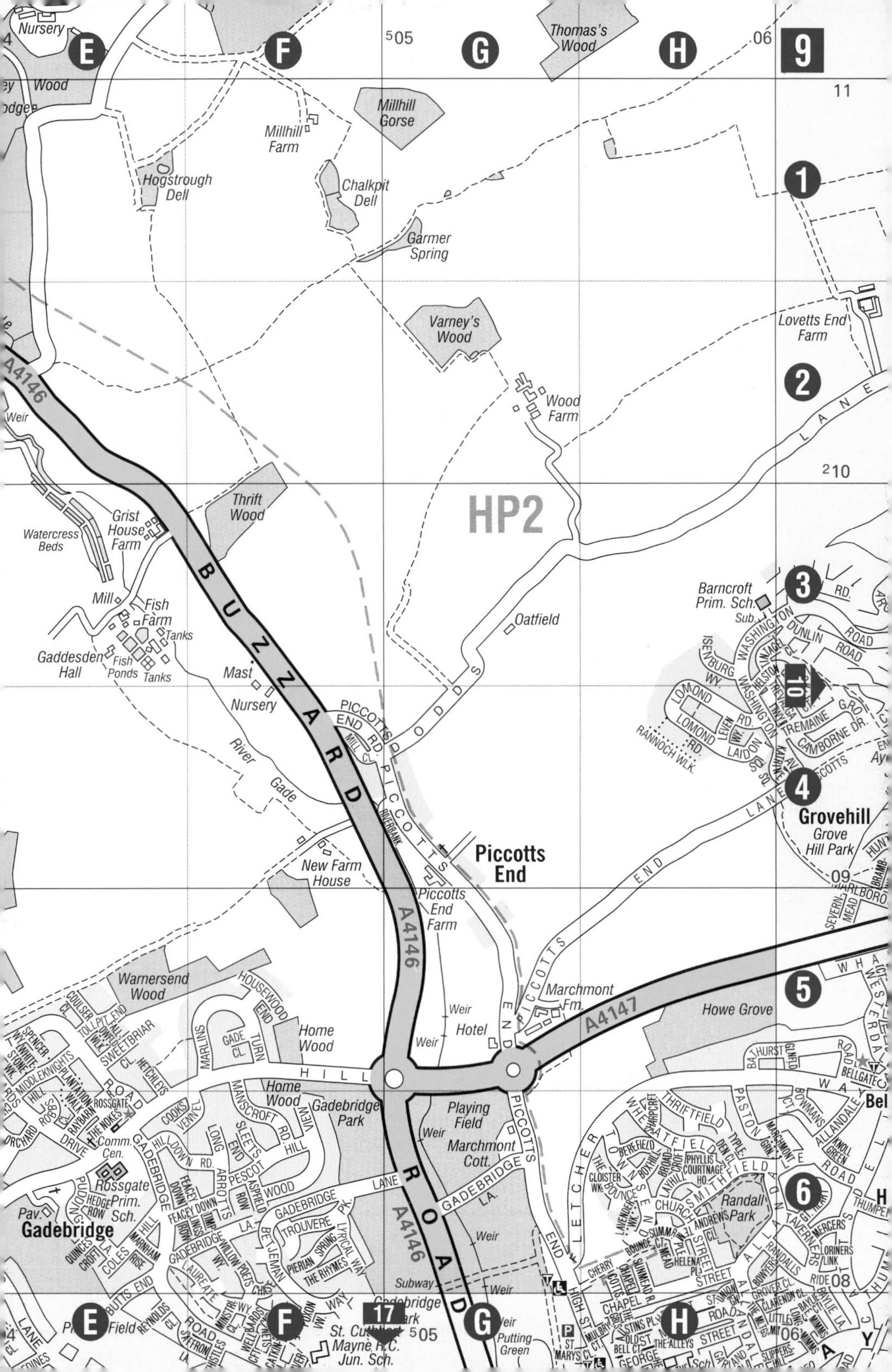

9
Thomas's Wood
Millhill Gorse
Millhill Farm
Hogstrough Dell
Chalkpit Dell
Garmer Spring
Varney's Wood
Lovetts End Farm
Wood Farm
HP2
Thrift Wood
Grist House Farm
Watercress Beds
Mill
Fish Farm
Tanks
Gaddesden Hall
Fish Ponds
Mast
Nursery
River Gade
BUZZARD ROAD
A4146
PICCOTTS END RD.
MILL CL.
DODDS
Oatfield
Barncroft Prim. Sch.
WASHINGTON
DUNLIN ROAD
ISENBURG WY.
LOMOND RD.
RANNOCH WLK.
LAIDON SQ.
KATRINE AV.
TREMAINE GRO.
CAMBORNE DR.
Grovehill
Grove Hill Park
LOVETTS END LANE
PICCOTTS
New Farm House
Piccotts End
Piccotts End Farm
PICCOTTS END LANE
Marchmont Fm.
A4147
Howe Grove
Warnersend Wood
HOUSEWOOD END
Home Wood
GADE CL.
MARLINS TURN
HILL
Hotel
Weir
Playing Field
Marchmont Cott.
Gadebridge Park
GADEBRIDGE LA.
GADEBRIDGE LANE
Rossgate Prim. Sch.
Gadebridge
Pav.
Subway
Randall Park
SMITHFIELD
HIGH ST.
ST. MARYS CL.
CHAPEL ST.
ALEXANDRA RD.
Putting Green
St. Cuthbert Mayne R.C. Jun. Sch.
17
E
F
G
H
1
2
3
4
5
6
505
06
11
210
09
08

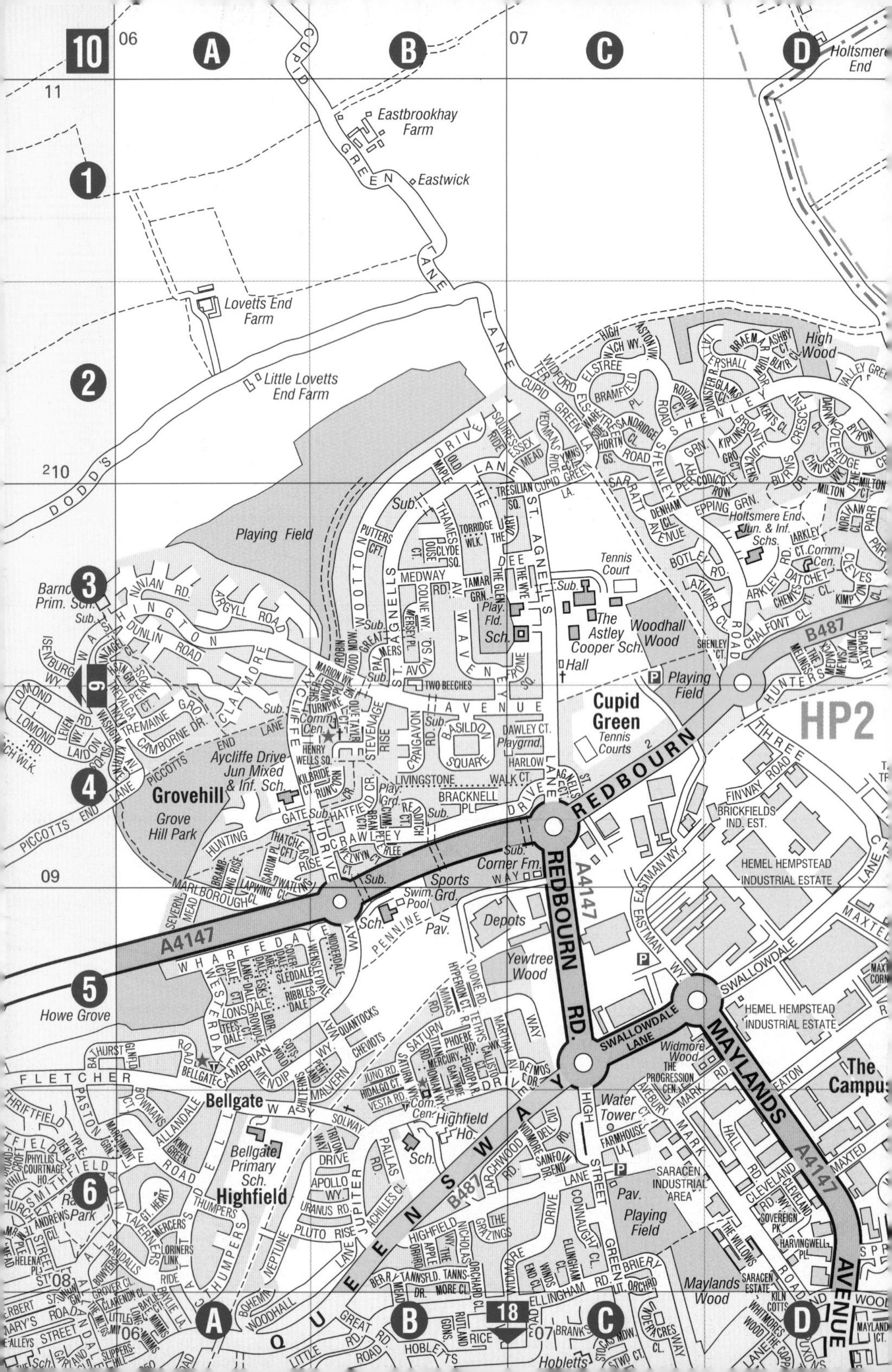

Eastbrookhay Farm
Eastwick
CUPID GREEN LANE
Lovetts End Farm
Little Lovetts End Farm
DODD'S LANE
Playing Field
High Wood
Holtsmere End
Holtsmere End Jun. & Inf. Schs.
Comm. Cen.
Tennis Court
The Astley Cooper Sch.
Woodhall Wood
Hall
Playing Field
Cupid Green
Tennis Courts
HP2
B487
REDBOURN
Barncroft Prim. Sch.
Grovehill
Grove Hill Park
Aycliffe Drive Jun Mixed & Inf. Sch.
Play. Fld.
Sch.
BRICKFIELDS IND. EST.
HEMEL HEMPSTEAD INDUSTRIAL ESTATE
Corner Fm.
Sports Grd.
Swim. Pool
Depots
Yewtree Wood
A4147
REDBOURN RD.
Howe Grove
Widmore Wood
THE PROGRESSION CEN.
MAYLANDS AVENUE
The Campus
Bellgate
Bellgate Primary Sch.
Highfield
Highfield Ho.
Water Tower
SARACEN INDUSTRIAL AREA
Playing Field
Maylands Wood
QUEENSWAY
B487
Hobletts

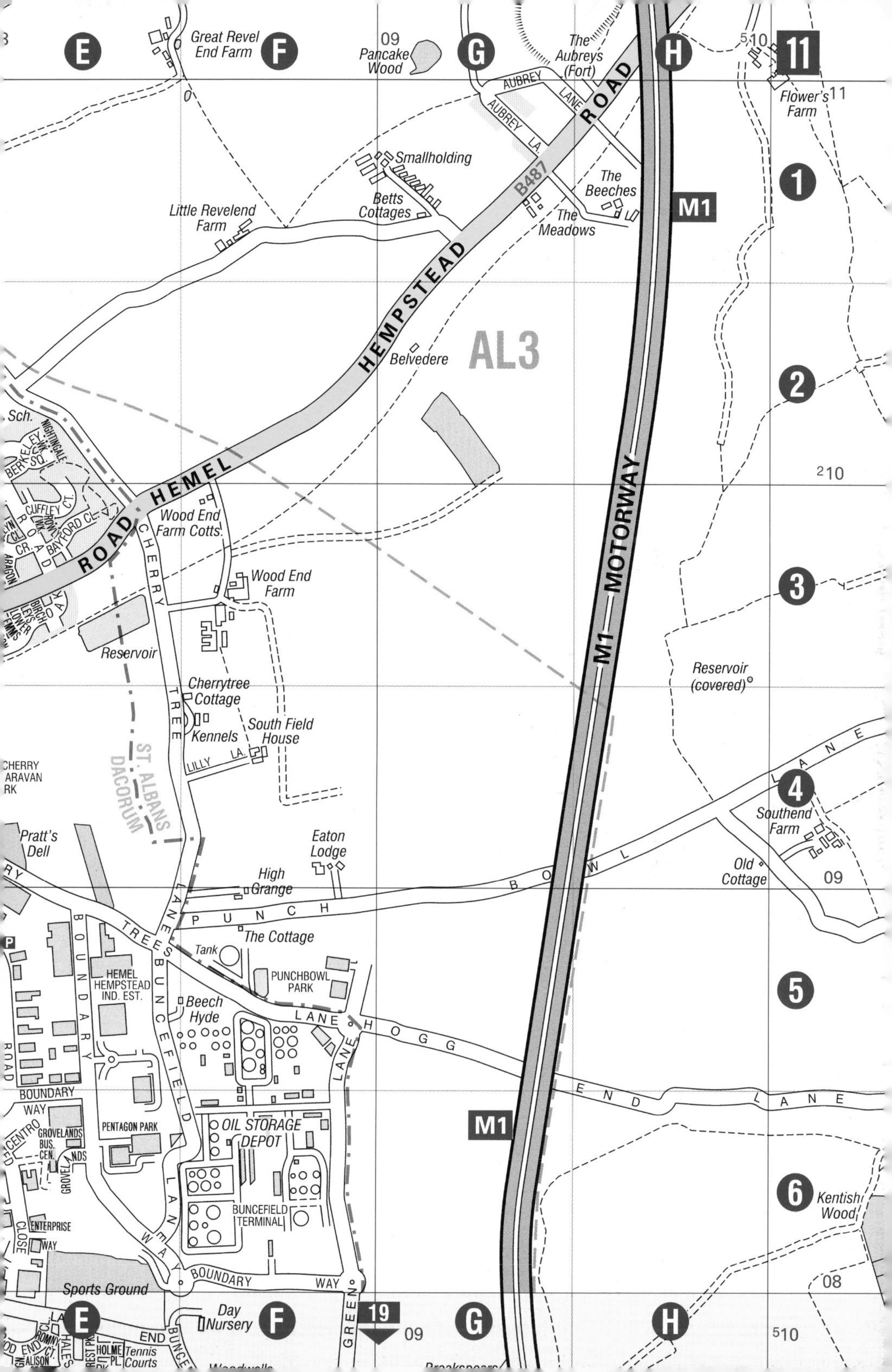

11
Great Revel End Farm
Pancake Wood
The Aubreys (Fort)
AUBREY
AUBREY LA.
LANE
ROAD
Flower's Farm
Smallholding
Betts Cottages
B487
The Beeches
The Meadows
Little Revelend Farm
M1
HEMPSTEAD
Belvedere
AL3
HEMEL
ROAD
Sch.
NIGHTINGALE
BERKELEY
SQ.
CUFFLEY CT.
BAYFORD CL.
Wood End Farm Cotts.
CHERRY
TREE
LANE
Wood End Farm
Reservoir
M1 MOTORWAY
Reservoir (covered)
Cherrytree Cottage
Kennels
South Field House
LILLY LA.
ST. ALBANS
DACORUM
Southend Farm
Pratt's Dell
Eaton Lodge
High Grange
Old Cottage
PUNCH BOWL LANE
The Cottage
Tank
TREES
BOUNDARY
HEMEL HEMPSTEAD IND. EST.
PUNCHBOWL PARK
Beech Hyde
LANE
HOGG END LANE
BUNCEFIELD
BOUNDARY WAY
PENTAGON PARK
OIL STORAGE DEPOT
GROVELANDS BUS. CEN.
GROVELANDS
CENTRO
M1
Kentish Wood
ENTERPRISE WAY
CLOSE
BUNCEFIELD TERMINAL
BOUNDARY WAY
Sports Ground
Day Nursery
END
GREEN
19
Tennis Courts
HOLME PL.
ALISON
HALES

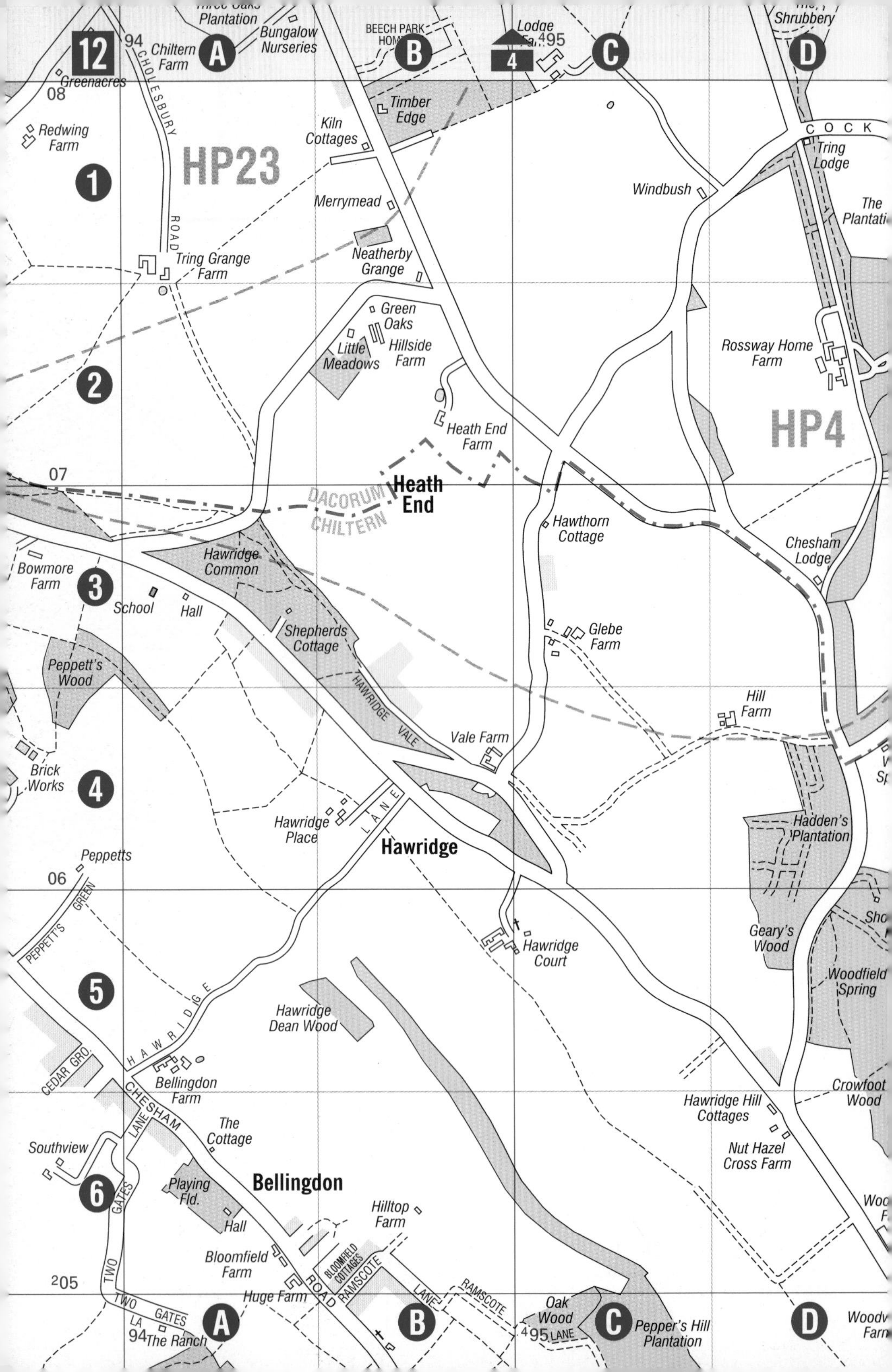
12
Three Oaks Plantation
Bungalow Nurseries
Chiltern Farm
BEECH PARK HOMES
Lodge Fa.
4
The Shrubbery
Greenacres
CHOLESBURY ROAD
Redwing Farm
HP23
Timber Edge
Kiln Cottages
COCK
Tring Lodge
Windbush
The Plantation
Merrymead
Neatherby Grange
Tring Grange Farm
Green Oaks
Little Meadows
Hillside Farm
Rossway Home Farm
Heath End Farm
HP4
Heath End
DACORUM
CHILTERN
Hawthorn Cottage
Chesham Lodge
Hawridge Common
Bowmore Farm
School
Hall
Shepherds Cottage
Glebe Farm
Peppett's Wood
HAWRIDGE VALE
Hill Farm
Vale Farm
Brick Works
Hawridge Place
LANE
Hawridge
Hadden's Plantation
Peppetts
PEPPETT'S GREEN
Hawridge Court
Geary's Wood
Woodfield Spring
Hawridge Dean Wood
HAWRIDGE
CEDAR GRO.
Bellingdon Farm
CHESHAM
Crowfoot Wood
Hawridge Hill Cottages
The Cottage
Southview
Nut Hazel Cross Farm
LANE
GATES
Playing Fld.
Bellingdon
Hilltop Farm
Hall
Bloomfield Farm
BLOOMFIELD COTTAGES
RAMSCOTE
TWO
ROAD
RAMSCOTE
LANE
Huge Farm
Oak Wood
TWO GATES LA
The Ranch
LANE
Pepper's Hill Plantation
A
B
C
D
1
2
3
4
5
6
94
95
08
07
06
205

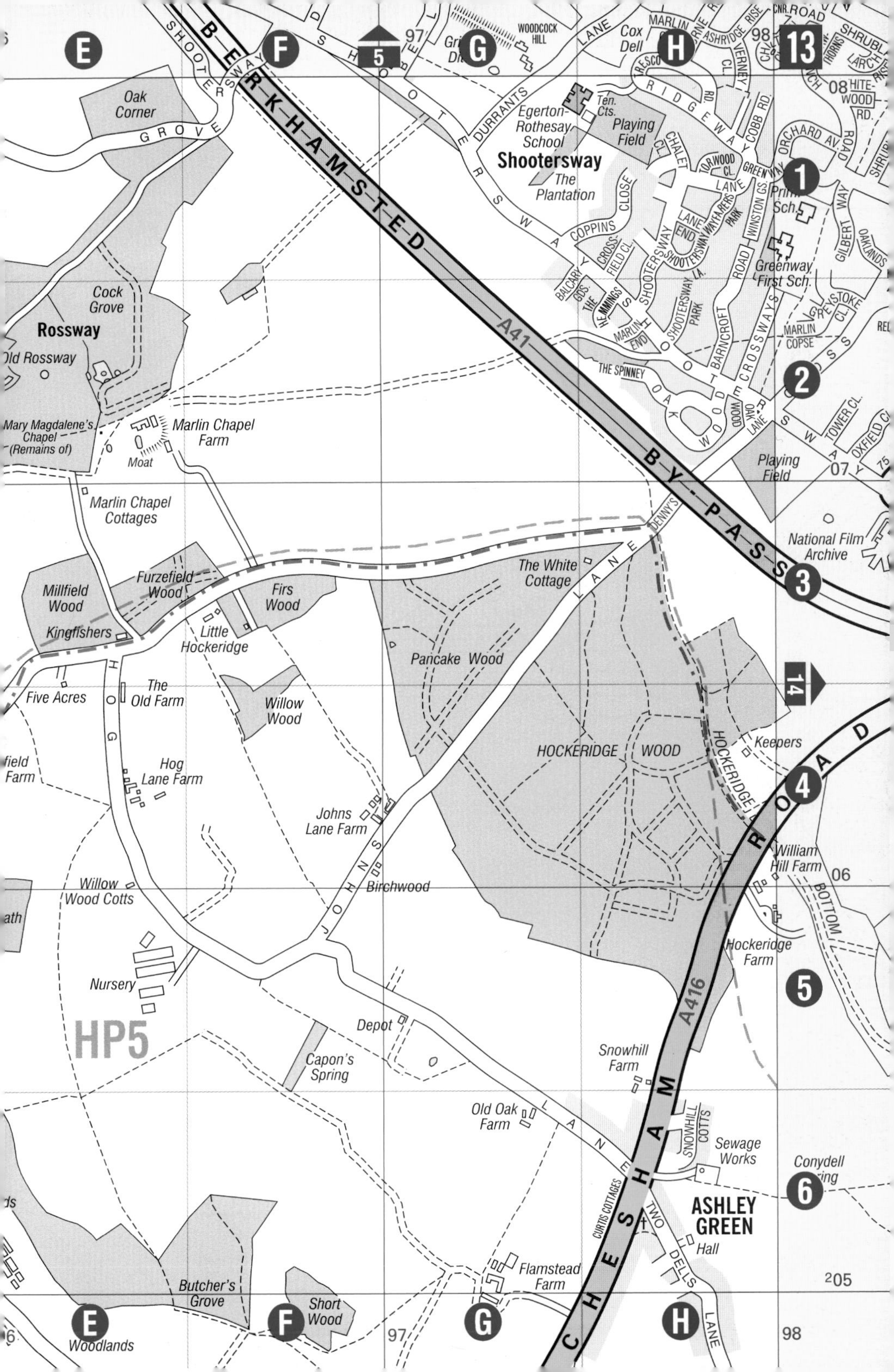
13
5
14
E
F
G
H
1
2
3
4
5
6
97
98
08
07
06
205
HP5
BERKHAMSTED BY-PASS
A41
A416
CHESHAM ROAD
Shootersway
Rossway
Old Rossway
Oak Corner
GROVE
Cock Grove
Mary Magdalene's Chapel (Remains of)
Marlin Chapel Farm
Moat
Marlin Chapel Cottages
Millfield Wood
Furzefield Wood
Kingfishers
Firs Wood
Little Hockeridge
Five Acres
The Old Farm
Willow Wood
Hog Lane Farm
HOG LANE
Johns Lane Farm
JOHNS LANE
Birchwood
Willow Wood Cotts
Nursery
Depot
Capon's Spring
Old Oak Farm
Flamstead Farm
Butcher's Grove
Short Wood
Woodlands
Pancake Wood
The White Cottage
DENNY'S LANE
HOCKERIDGE WOOD
HOCKERIDGE
Keepers
William Hill Farm
BOTTOM
Hockeridge Farm
Snowhill Farm
SNOWHILL COTTS
Sewage Works
Conydell
ASHLEY GREEN
Hall
CURTIS COTTAGES
TWO DELLS LANE
National Film Archive
Playing Field
Egerton-Rothesay School
Ten. Cts.
The Plantation
WOODCOCK HILL
DURRANTS LANE
Cox Dell
MARLIN
ASHRIDGE RISE
VERNEY CL.
RIDGEWAY
COBB RD.
CHALET CL.
TORWOOD CL.
GREENWAY
ORCHARD AV.
ROAD
CNR. ROAD
SHRUBLANDS
LARCH
HITE-WOOD RD.
Prim. Sch.
GILBERT WAY
OAKLANDS
Greenway First Sch.
GREYSTOKE CL.
MARLIN COPSE
WINSTON GS.
WAYFARERS PARK
LANE END
SHOOTERSWAY LA.
SHOOTERSWAY PARK
COPPINS CLOSE
CROSSFIELD CL.
BALCARY GDS.
THE HEMMINGS
MARLIN END
THE SPINNEY
OAKWOOD
WOOD OAK LANE
BARNCROFT ROAD
CROSSWAYS
TOWER CL.
OXFIELD CL.
75

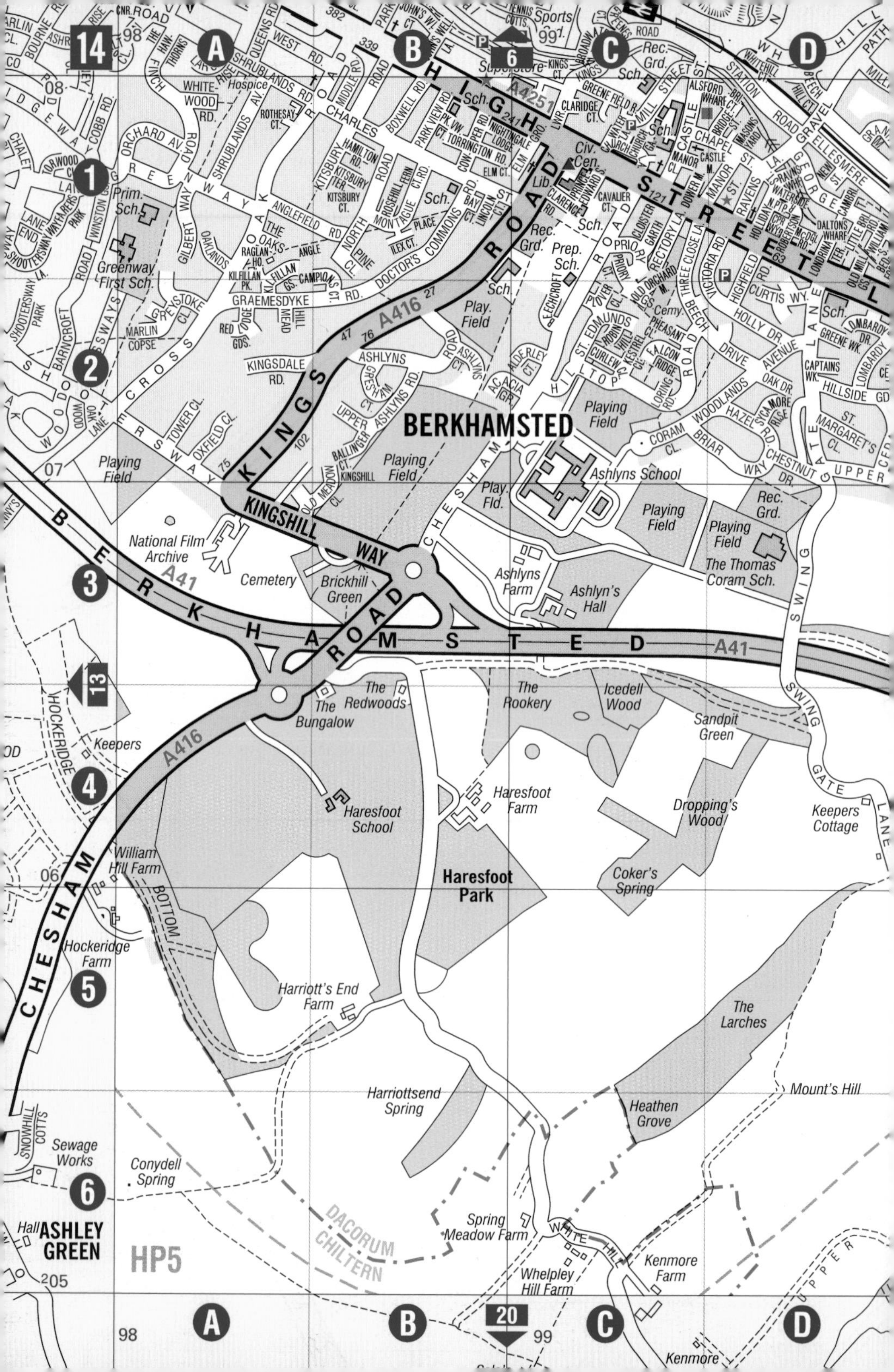

14
A
B
C
D
1
2
3
4
5
6
6
13
20
BERKHAMSTED
HIGH STREET
A4251
KINGS ROAD
A416
KINGSHILL WAY
BERKHAMSTED ROAD
A41
CHESHAM ROAD
GREENWAY
SHOOTERSWAY
COBB RD.
CHARLES
SHRUBLANDS AV.
ORCHARD AV.
GRAEMESDYKE
DOCTOR'S COMMONS
KINGSDALE RD.
ASHLYNS
HILLTOP
SWING GATE LANE
UPPER
WHITE HILL
STATION ROAD
GRAVEL
Prim. Sch.
Greenway First Sch.
Hospice
Super Store
Sports Gd.
Rec. Grd.
Civ. Cen.
Lib.
Prep. Sch.
Sch.
Cemy.
Play. Field
Playing Field
Play. Fld.
Ashlyns School
The Thomas Coram Sch.
National Film Archive
Cemetery
Brickhill Green
Ashlyns Farm
Ashlyn's Hall
The Redwoods
The Bungalow
The Rookery
Icedell Wood
Sandpit Green
Keepers
Haresfoot Farm
Haresfoot School
Dropping's Wood
Keepers Cottage
William Hill Farm
Coker's Spring
Haresfoot Park
BOTTOM
Hockeridge Farm
HOCKERIDGE
Harriott's End Farm
The Larches
Harriottsend Spring
Mount's Hill
Heathen Grove
Sewage Works
SNOWHILL COTTS
Conydell Spring
Spring Meadow Farm
Kenmore Farm
Whelpley Hill Farm
Kenmore
DACORUM
CHILTERN
Hall
ASHLEY GREEN
HP5
98
99
07
06
205

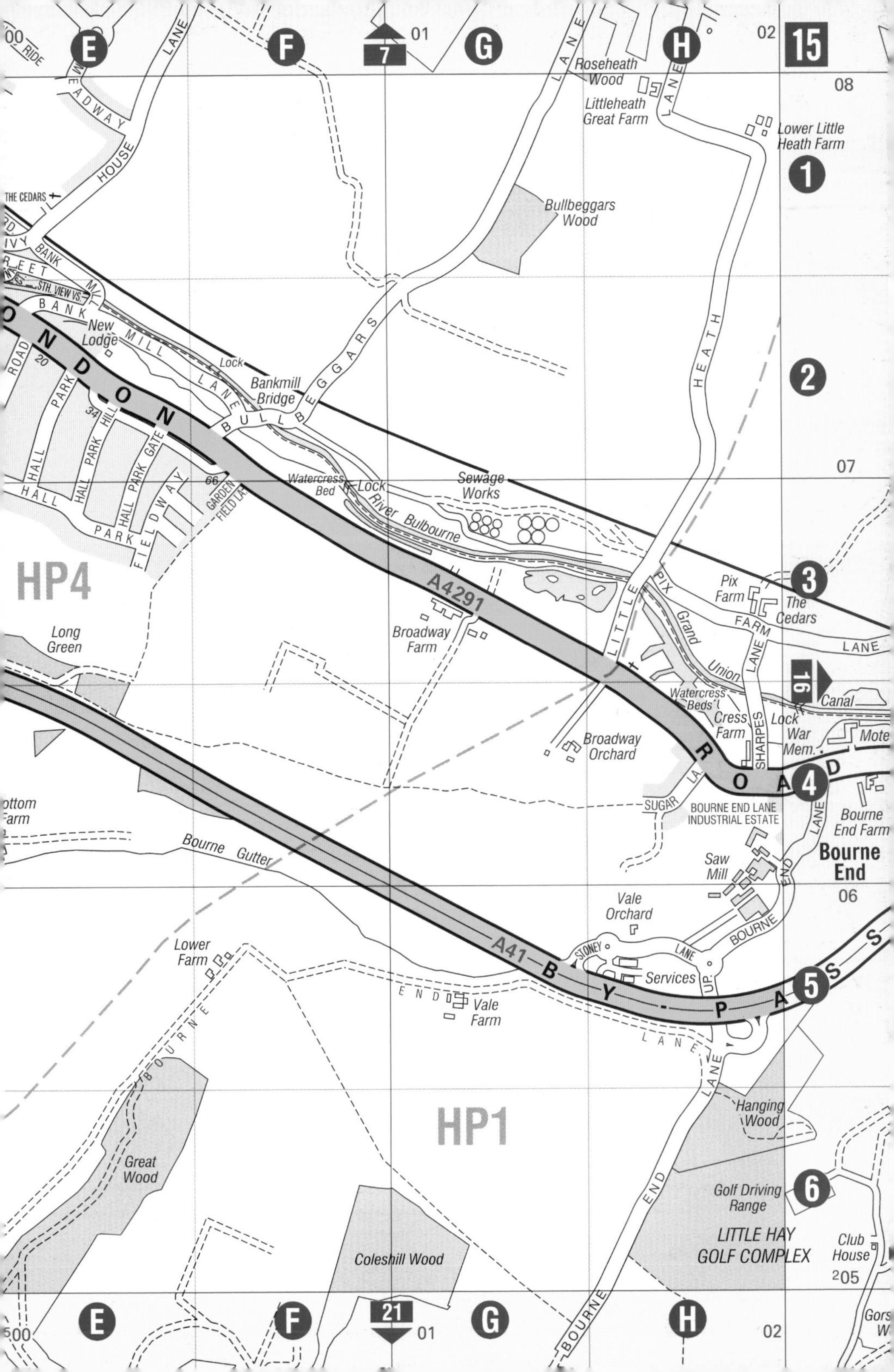

E
F
G
H
7
01
02
08
07
06
205
500
21
1
2
3
4
5
6
16
HP4
HP1
Roseheath Wood
Littleheath Great Farm
Lower Little Heath Farm
Bullbeggars Wood
THE CEDARS
New Lodge
Lock
Bankmill Bridge
Watercress Bed
Lock
River Bulbourne
Sewage Works
A4291
Broadway Farm
Long Green
Pix Farm
The Cedars
Grand Union Canal
Watercress Beds
Cress Farm
Lock
War Mem.
Broadway Orchard
BOURNE END LANE INDUSTRIAL ESTATE
Bourne End Farm
Bourne End
Saw Mill
Vale Orchard
Bourne Gutter
A41
Lower Farm
Services
Vale Farm
Hanging Wood
Great Wood
Golf Driving Range
LITTLE HAY GOLF COMPLEX
Club House
Coleshill Wood
LONDON ROAD
BY-PASS
HEATH LANE
LITTLE HEATH LANE
BULLBEGGARS LANE
PIX FARM LANE
SHARPES LANE
SUGAR LA
BOURNE END LANE
BOURNE END
STONEY LANE
HOUSE LANE
MEADWAY
MILL LANE
NEW MILL LANE
BANK MILL
STH. VIEW VS.
HALL PARK
HALL PARK HILL
HALL PARK GATE
PARK ROAD
FIELDWAY
GARDEN FIELD LA
IVY
STREET
RIDE

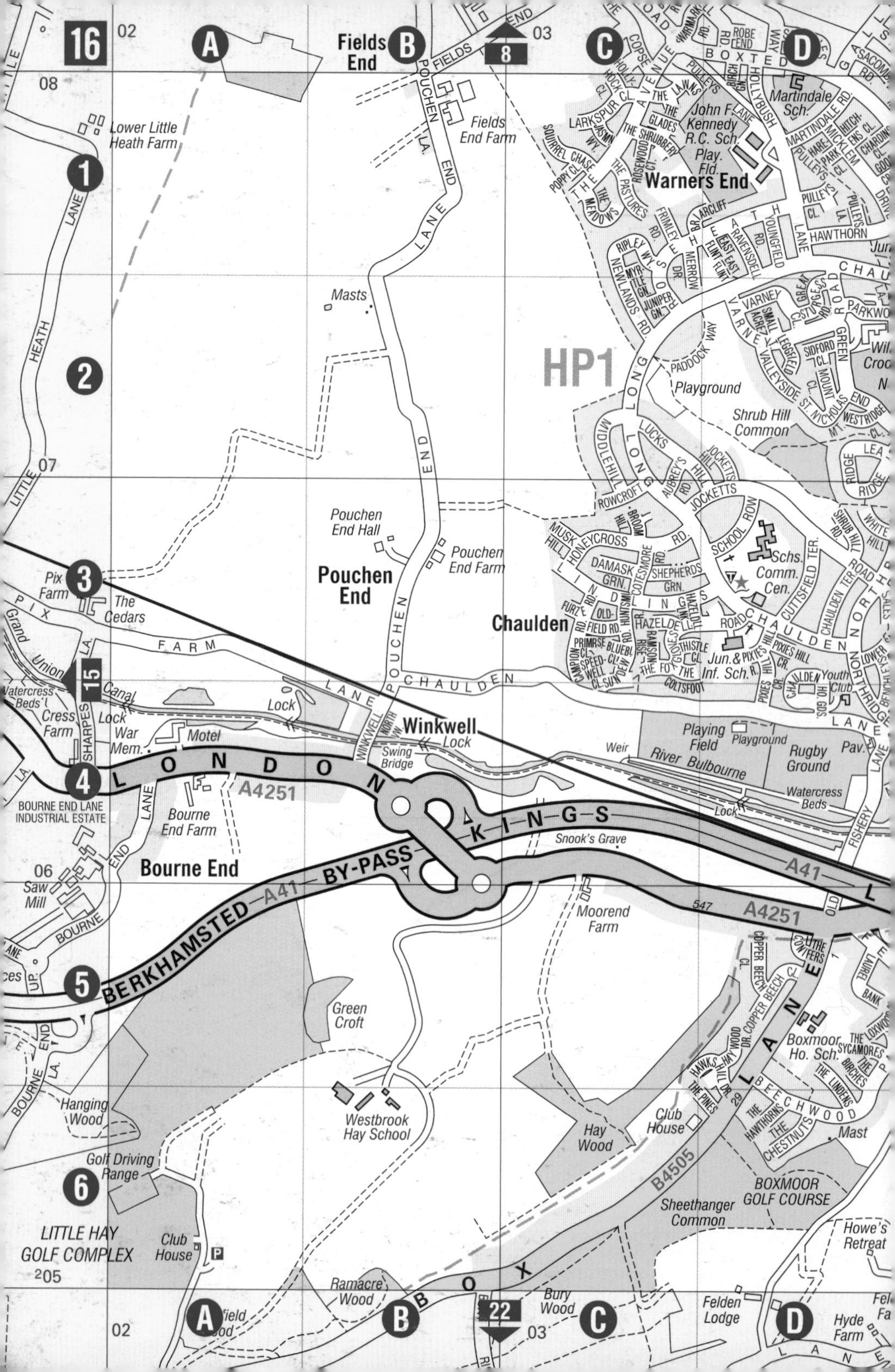

Fields End
Lower Little Heath Farm
Fields End Farm
Warners End
John F. Kennedy R.C. Sch.
Martindale Sch.
HP1
Playground
Shrub Hill Common
Masts
Pouchen End Hall
Pouchen End Farm
Pouchen End
Chaulden
Schs. Comm. Cen.
Jun. & Inf. Sch.
Youth Club
Pix Farm
The Cedars
Grand Union Canal
Watercress Beds
Cress Farm
Lock
War Mem.
Motel
Winkwell
Swing Bridge
Playing Field
Rugby Ground
River Bulbourne
Watercress Beds
Weir
LONDON ROAD
A4251
KINGS-LANGLEY
BOURNE END LANE INDUSTRIAL ESTATE
Bourne End Farm
Bourne End
Snook's Grave
Saw Mill
BERKHAMSTED BY-PASS
A41
Moorend Farm
Green Croft
Westbrook Hay School
Boxmoor Ho. Sch.
Hanging Wood
Golf Driving Range
LITTLE HAY GOLF COMPLEX
Club House
Hay Wood
B4505
BOXMOOR GOLF COURSE
Sheethanger Common
Mast
Howe's Retreat
Ramacre Wood
Bury Wood
Felden Lodge
Hyde Farm
BOX LANE
02
03
08
07
06
205
8
15
22

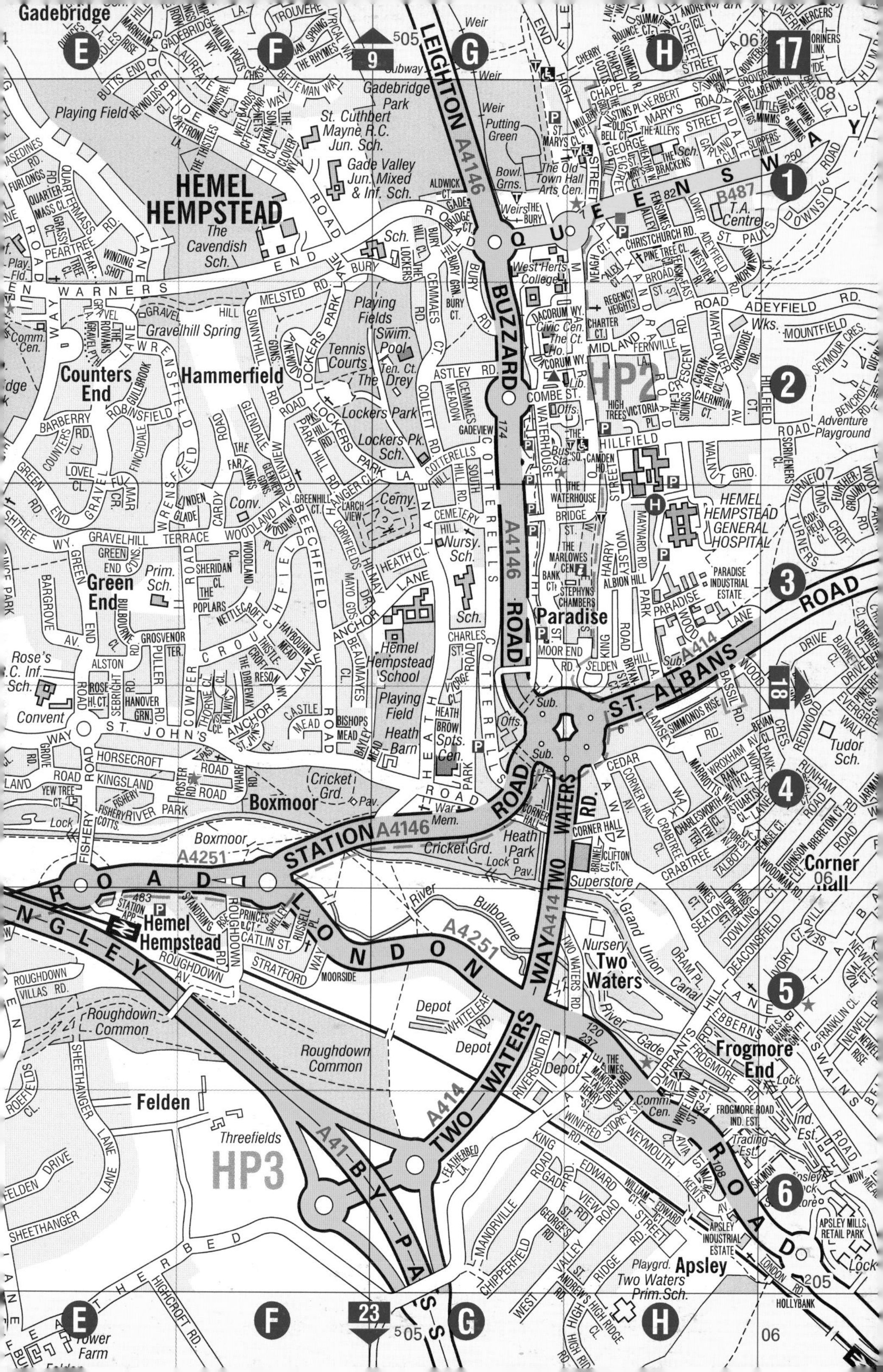

Gadebridge
E
F
9
505
G
H
17
LEIGHTON
A4146
BUZZARD
ROAD
Weir
Subway
Gadebridge Park
Putting Green
St. Cuthbert Mayne R.C. Jun. Sch.
Gade Valley Jun. Mixed & Inf. Sch.
Playing Field
HEMEL HEMPSTEAD
The Cavendish Sch.
Bowl. Grns.
The Old Town Hall Arts Cen.
QUEENSWAY
B487
T.A. Centre
1
250
82
CHRISTCHURCH RD.
ST. PAUL'S
DOWNSIDE
West Herts College
REGENCY HEIGHTS
ADEYFIELD RD.
WARNERS END
Gravelhill Spring
Playing Fields
Swim. Pool
Tennis Courts
The Drey
Lockers Park
Lockers Pk. Sch.
Counters End
Hammerfield
Civic Cen.
The Ct. Ho.
Lib.
HP2
MIDLAND RD.
MOUNTFIELD
Wks.
2
Adventure Playground
HILLFIELD
Bus Sta.
THE WATERHOUSE
HEMEL HEMPSTEAD GENERAL HOSPITAL
Cemy.
Conv.
Green End
Prim. Sch.
Nursy. Sch.
Sch.
Hemel Hempstead School
Playing Field
Heath Barn
Spts. Cen.
PARADISE INDUSTRIAL ESTATE
Paradise
3
ST. ALBANS ROAD
A414
18
Tudor Sch.
Rose's R.C. Inf. Sch.
Convent
ST. JOHN'S
Boxmoor
Cricket Grd.
Pav.
War Mem.
4
STATION ROAD
A4146
A4251
Boxmoor
Cricket Grd.
Heath Park
Lock
TWO WATERS RD.
CORNER HALL
Superstore
Corner Hall
06
Hemel Hempstead
LONDON ROAD
A4251
River Bulbourne
Grand Union Canal
Nursery
Two Waters
5
Roughdown Common
Depot
Roughdown Common
River Gade
Frogmore End
Felden
Threefields
HP3
TWO WATERS
A414
A41 BY-PASS
Comm. Cen.
FROGMORE ROAD IND. EST.
Ind. Est.
Trading Est.
6
APSLEY MILLS RETAIL PARK
APSLEY INDUSTRIAL ESTATE
Apsley
Playgrd.
Two Waters Prim. Sch.
205
HOLLYBANK
E
F
23
G
H
505
06
Tower Farm

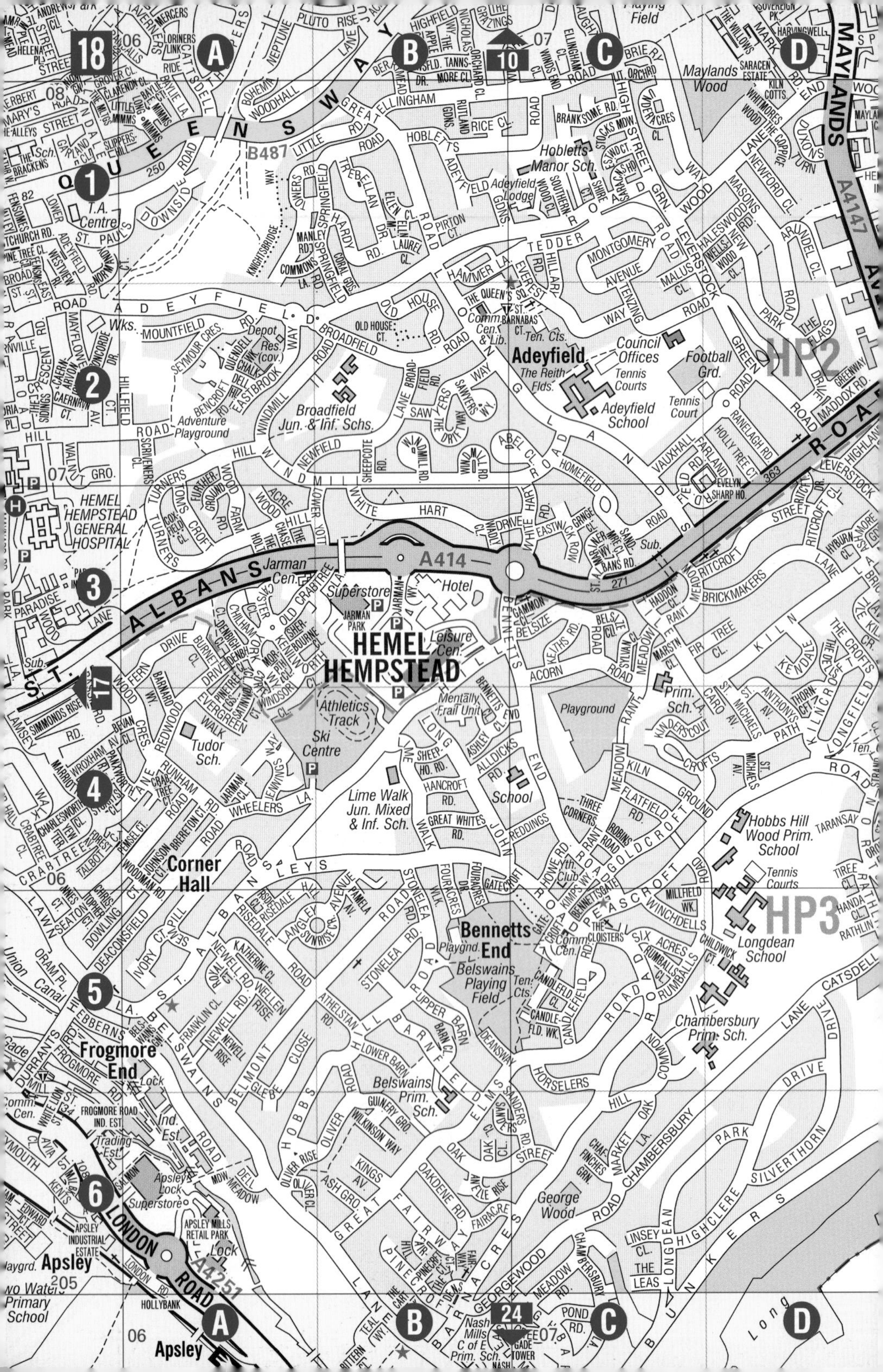
18
A
B
C
D
10
06
07
1
2
3
4
5
6
17
24
QUEENSWAY
B487
ST. ALBANS ROAD
A414
HP2
HP3
MAYLANDS AV.
A4147
LONDON ROAD
A4251
HEMEL HEMPSTEAD
Adeyfield
Corner Hall
Bennetts End
Frogmore End
Apsley
Maylands Wood
Playing Field
Hobletts Manor Sch.
Adeyfield Lodge
T.A. Centre
Wks.
Depot
Res. (cov.)
Adventure Playground
Broadfield Jun. & Inf. Schs.
Comm. Cen. & Lib.
Ten. Cts.
Council Offices
The Reith Flds.
Tennis Courts
Adeyfield School
Football Grd.
Tennis Court
EVELYN SHARP HO.
HEMEL HEMPSTEAD GENERAL HOSPITAL
Jarman Cen.
Superstore
JARMAN PARK
Hotel
Leisure Cen.
Athletics Track
Ski Centre
Tudor Sch.
Mentally Frail Unit
Playground
Prim. Sch.
Lime Walk Jun. Mixed & Inf. Sch.
School
Yth. Club
Comm. Cen.
Hobbs Hill Wood Prim. School
Longdean School
Playgnd.
Belswains Playing Field
Chambersbury Prim. Sch.
Belswains Prim. Sch.
George Wood
Union Canal
Lock
Ind. Est.
Trading Est.
FROGMORE ROAD IND. EST.
Apsley Lock
APSLEY MILLS RETAIL PARK
APSLEY INDUSTRIAL ESTATE
Two Waters Primary School
Nash Mills C of E Prim. Sch.
GADE TOWER
HOLLYBANK
ADEYFIELD ROAD
BROADFIELD ROAD
WINDMILL HILL
WHITE HART ROAD
LONGLANDS
LEVERSTOCK GREEN ROAD
TENZING WAY
TEDDER ROAD
MONTGOMERY AVENUE
HIGH STREET GRN.
WOOD LANE END
HOBLETTS ROAD
GREAT ELLINGHAM ROAD
WHEELERS LANE
LEYS ROAD
JOHN'S ROAD
BENNETTS END ROAD
KILN ROAD
BRICKMAKERS LANE
LONGFIELD ROAD
HORSELERS
CHAMBERSBURY LANE
MARKET OAK LA.
SILVERTHORN DRIVE
BUNKERS LANE
GEORGEWOOD ROAD
BARNACRES ROAD
PINECROFT
GREAT FAIRWAY
BELSWAINS LANE
HOBBS HILL
STONELEA ROAD
DEACONSFIELD
CRABTREE LANE
LAWN LANE
PARADISE
MOUNTFIELD
HILLFIELD
DOWNSIDE
RANT MEADOW
GOLDCROFT
PEASCROFT ROAD
WINCHDELLS
SIX ACRES
CANDLEFIELD RD.
UPPER BARN
LOWER BARN
Long

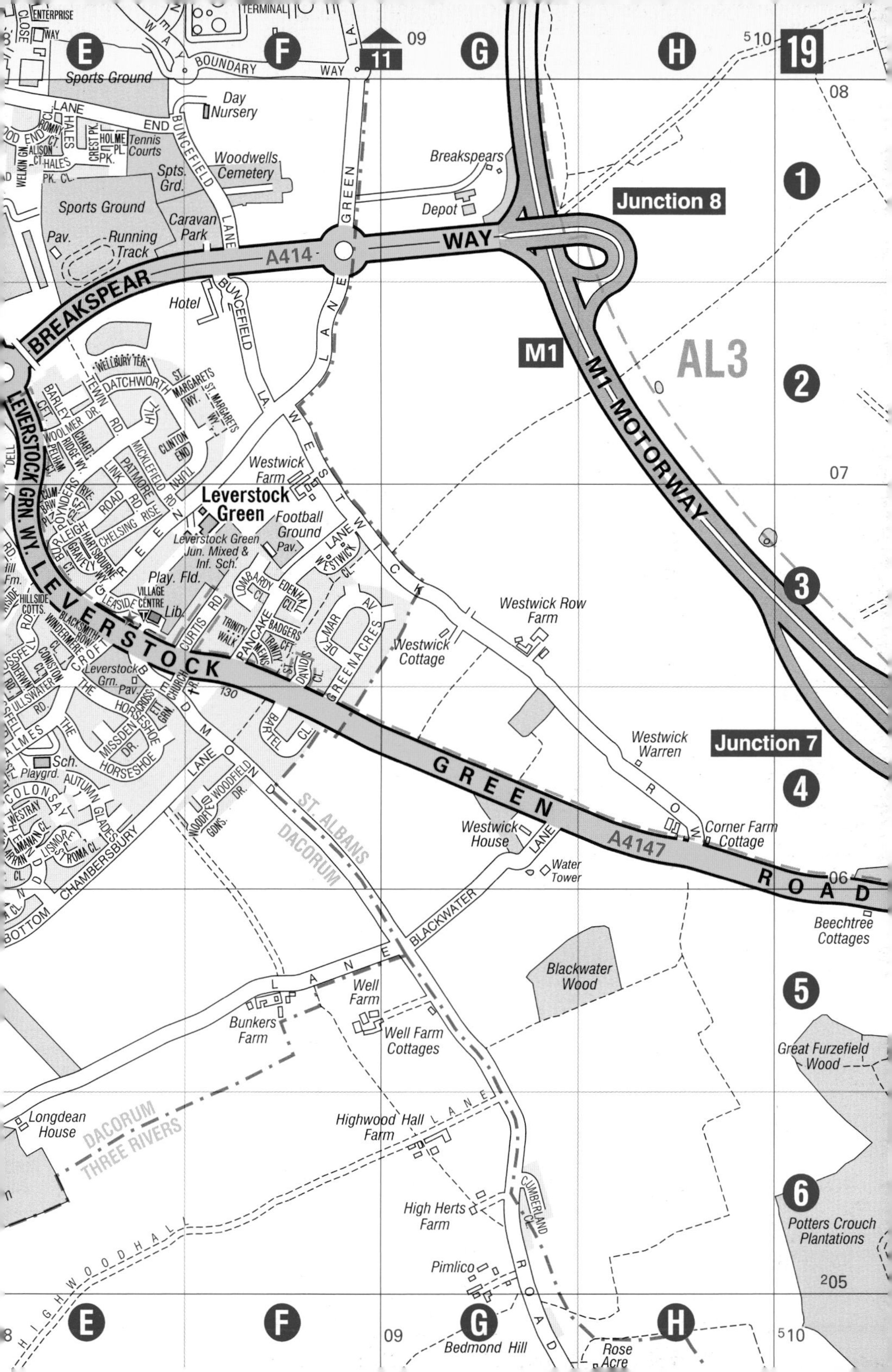
19
11
E
F
G
H
Sports Ground
Day Nursery
Tennis Courts
Woodwells Cemetery
Spts. Grd.
Sports Ground
Caravan Park
Pav.
Running Track
Breakspears
Depot
Junction 8
BREAKSPEAR WAY
A414
Hotel
M1
M1 MOTORWAY
AL3
Leverstock Green
Westwick Farm
Football Ground
Pav.
Leverstock Green Jun. Mixed & Inf. Sch.
Play. Fld.
Village Centre
Lib.
Westwick Row Farm
Westwick Cottage
Leverstock Grn. Pav.
LEVERSTOCK GREEN ROAD
A4147
Westwick Warren
Junction 7
Westwick House
Corner Farm Cottage
Water Tower
Beechtree Cottages
ST. ALBANS
DACORUM
Sch.
Playgrd.
Blackwater Wood
Well Farm
Bunkers Farm
Well Farm Cottages
Great Furzefield Wood
Longdean House
DACORUM
THREE RIVERS
Highwood Hall Farm
High Herts Farm
Potters Crouch Plantations
Pimlico
Bedmond Hill
Rose Acre
HIGHWOOD HALL LANE
BLACKWATER LANE
CHAMBERSBURY LANE
WESTWICK ROW
BUNCEFIELD LANE

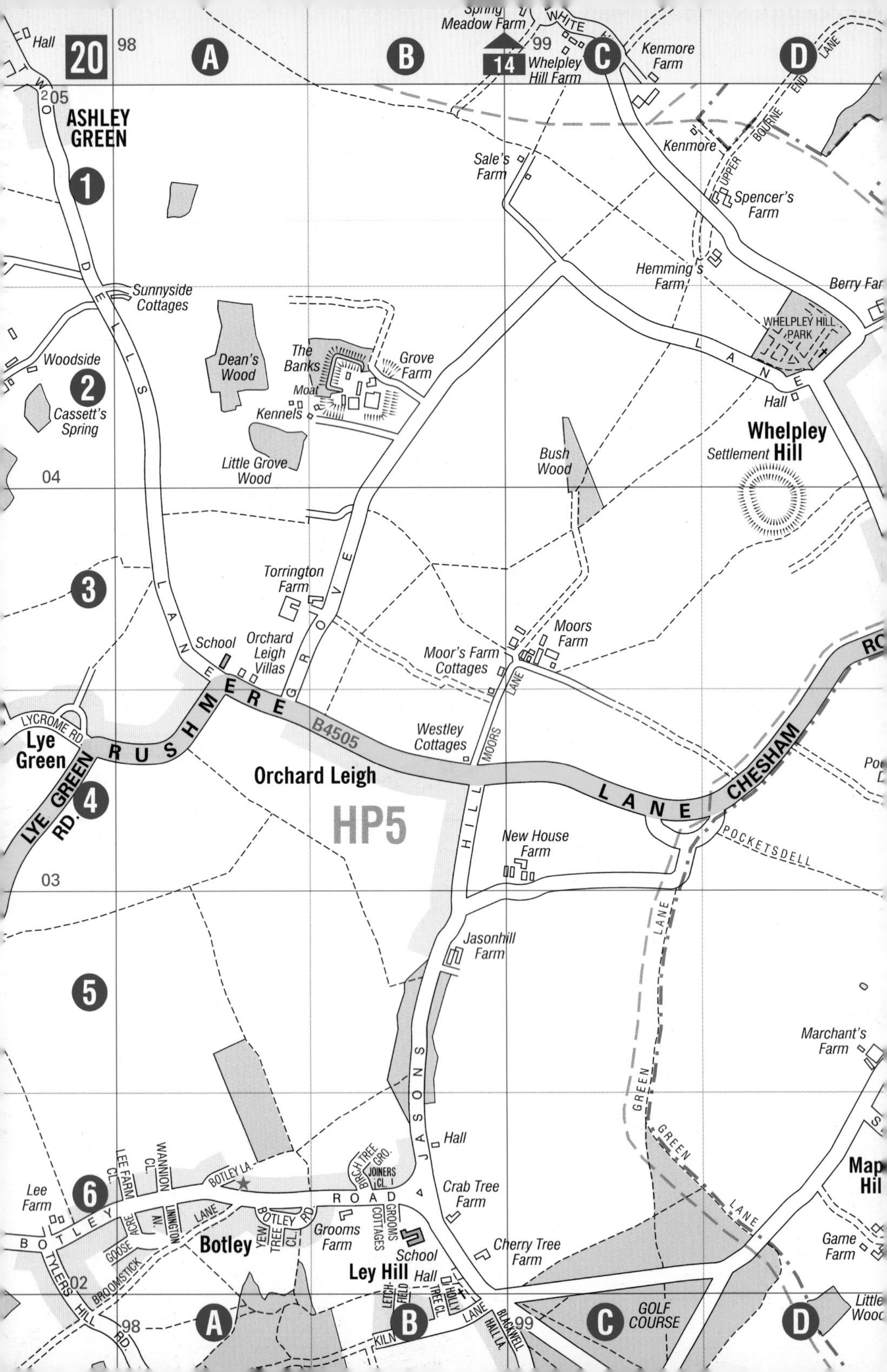

Hall
98
A
B
Spring Meadow Farm
WHITE
14
99
Whelpley Hill Farm
C
Kenmore Farm
D
LANE
ASHLEY GREEN
1
Sale's Farm
Kenmore
UPPER BOURNE END
Spencer's Farm
Hemming's Farm
Berry Far
Sunnyside Cottages
Woodside
2
Cassett's Spring
Dean's Wood
The Banks
Moat
Kennels
Grove Farm
Little Grove Wood
WHELPLEY HILL PARK
L A N E
Hall
Whelpley Hill
Settlement
Bush Wood
04
3
Torrington Farm
G R O V E
D E L L S L A N E
School
Orchard Leigh Villas
Moor's Farm Cottages
Moors Farm
LANE
LYCROME RD
Lye Green
R U S H M E R E
B4505
Westley Cottages
MOORS
Orchard Leigh
L A N E
CHESHAM
HP5
LYE GREEN RD.
4
HILL
New House Farm
POCKETSDELL
03
Jasonhill Farm
LANE
5
Marchant's Farm
JASONS
GREEN
GREEN
Hall
LANE
LEE FARM CL.
WANNION CL.
BOTLEY LA.
BIRCH TREE GRO.
JOINERS CL.
Crab Tree Farm
Lee Farm
6
ROAD
GROOMS COTTAGES
B O T L E Y
ACRE
AV.
LININGTON
LANE
BOTLEY RD
YEW TREE CL.
Grooms Farm
School
Game Farm
GOOSE
BROOMSTICK
Botley
Cherry Tree Farm
Ley Hill
Hall
LETCH-FIELD
TREE CL.
HOLLY
LANE
TYLERS HILL RD.
02
98
A
B
KILN
BLACKWELL HALL LA.
99
C
GOLF COURSE
D
Little Wood

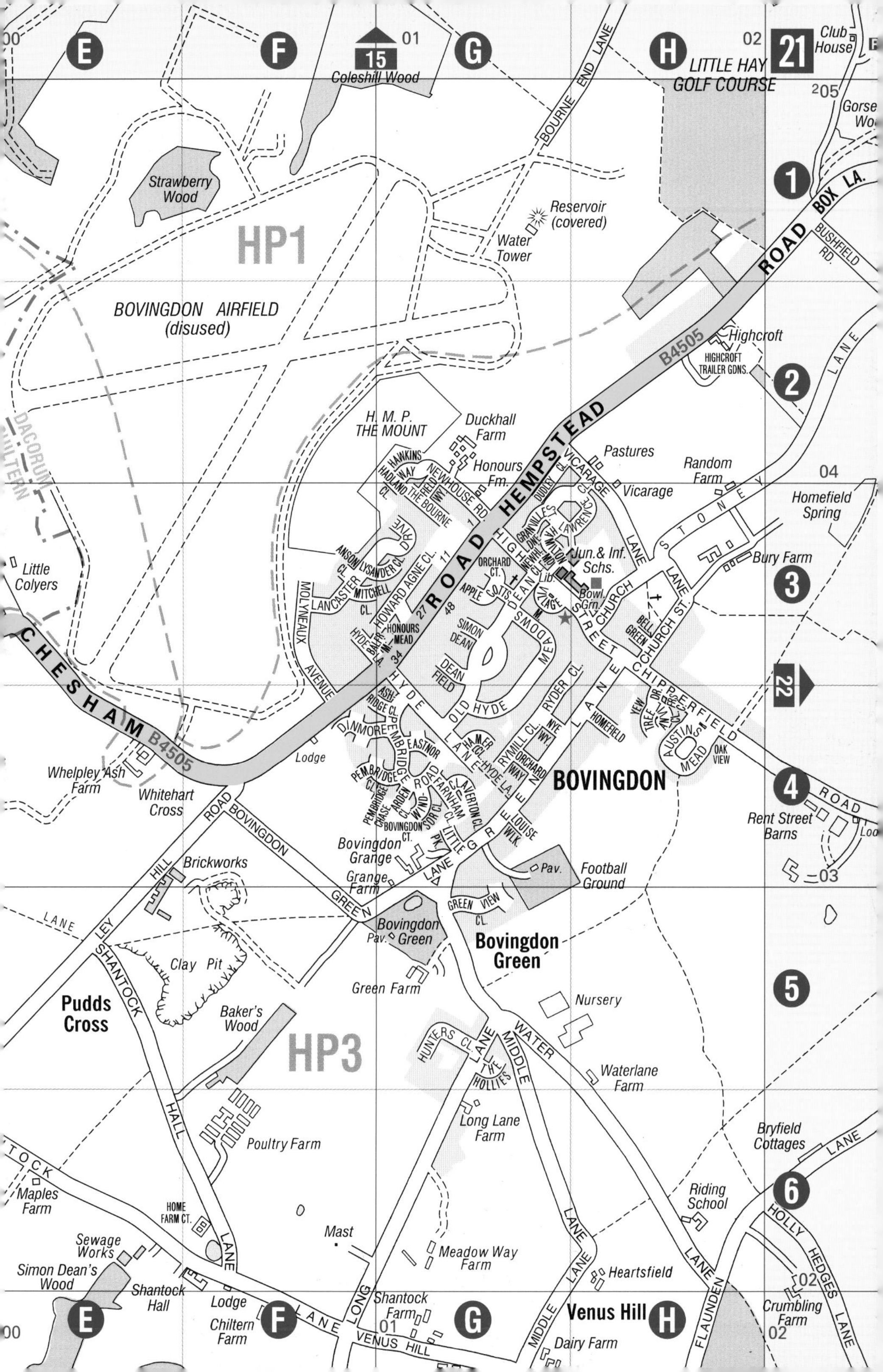
21
15
22
E
F
G
H
1
2
3
4
5
6
Coleshill Wood
LITTLE HAY GOLF COURSE
Club House
Gorse Wood
Strawberry Wood
HP1
Reservoir (covered)
Water Tower
BOVINGDON AIRFIELD (disused)
BOURNE END LANE
BOX LA.
BUSHFIELD RD.
Highcroft
HIGHCROFT TRAILER GDNS.
B4505
HEMPSTEAD ROAD
H. M. P. THE MOUNT
Duckhall Farm
Honours Fm.
Pastures
Vicarage
Random Farm
Homefield Spring
Bury Farm
STONEY LANE
DACORUM
CHILTERN
Little Colyers
CHESHAM
Jun.& Inf. Schs.
Lib.
Bowl. Grn.
HIGH STREET
CHURCH LANE
CHURCH ST.
BELL GREEN
CHIPPERFIELD ROAD
Lodge
Whelpley Ash Farm
Whitehart Cross
BOVINGDON
Rent Street Barns
Bovingdon Grange
Grange Farm
Football Ground
Pav.
Brickworks
Bovingdon Green
GREEN VIEW CL.
Clay Pit
Green Farm
Pudds Cross
Baker's Wood
HP3
Nursery
Waterlane Farm
Long Lane Farm
Poultry Farm
Bryfield Cottages
Riding School
Maples Farm
HOME FARM CT.
Sewage Works
Simon Dean's Wood
Shantock Hall
Lodge
Chiltern Farm
Mast
Meadow Way Farm
Heartsfield
Shantock Farm
Venus Hill
Dairy Farm
Crumbling Farm
HOLLY HEDGES LANE
FLAUNDEN LANE
MIDDLE LANE
WATER LANE
LONG LANE
VENUS HILL
SHANTOCK HALL LANE
LEY HILL ROAD
BOVINGDON GREEN LANE
SHANTOCK LANE

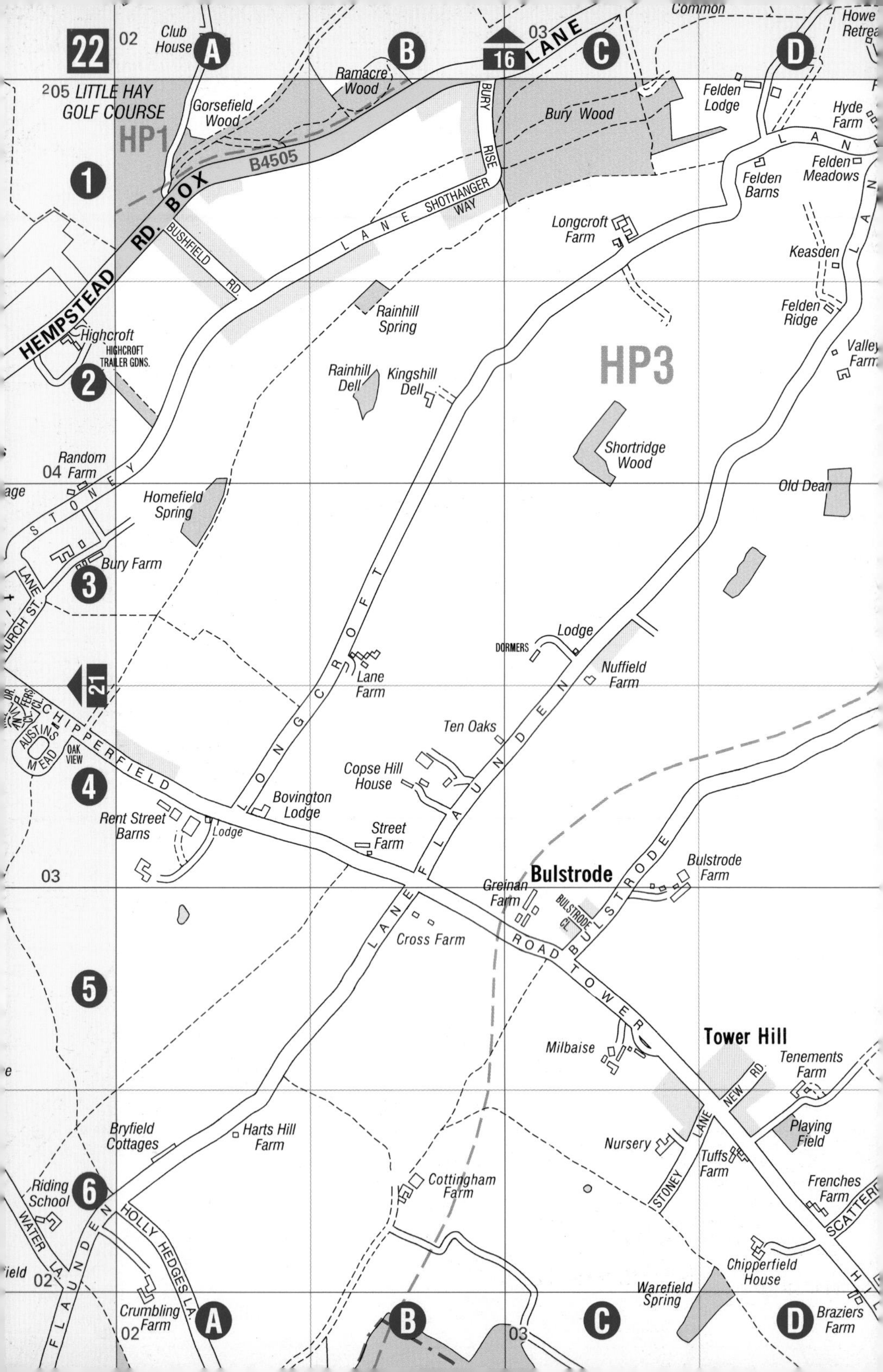
Club House
Common
Howe Retreat
LITTLE HAY GOLF COURSE
Ramacre Wood
Gorsefield Wood
HP1
B4505
BOX LANE
HEMPSTEAD RD.
BURY RISE
Bury Wood
Felden Lodge
Hyde Farm
Felden Barns
Felden Meadows
SHOTHANGER WAY
LANE
BUSHFIELD RD.
Longcroft Farm
Keasden
Felden Ridge
Rainhill Spring
Highcroft
HIGHCROFT TRAILER GDNS.
Rainhill Dell
Kingshill Dell
HP3
Valley Farm
Shortridge Wood
Random Farm
STONEY
Homefield Spring
Old Dean
Bury Farm
CHURCH ST.
LONGCROFT
Lodge
DORMERS
Nuffield Farm
Lane Farm
Ten Oaks
CHIPPERFIELD
AUSTINS MEAD
OAK VIEW
Copse Hill House
Bovington Lodge
Rent Street Barns
Lodge
Street Farm
FLAUNDEN
Bulstrode
Bulstrode Farm
Greinan Farm
BULSTRODE CL.
BULSTRODE
LANE
Cross Farm
ROAD
TOWER
Milbaise
Tower Hill
Tenements Farm
NEW RD.
Playing Field
Bryfield Cottages
Harts Hill Farm
Nursery
STONEY LANE
Tuffs Farm
Frenches Farm
SCATTERDELLS
Riding School
Cottingham Farm
WATER LA.
HOLLY HEDGES LA.
Chipperfield House
Warefield Spring
Crumbling Farm
Braziers Farm
16
21
02
03
04
05
A
B
C
D
1
2
3
4
5
6

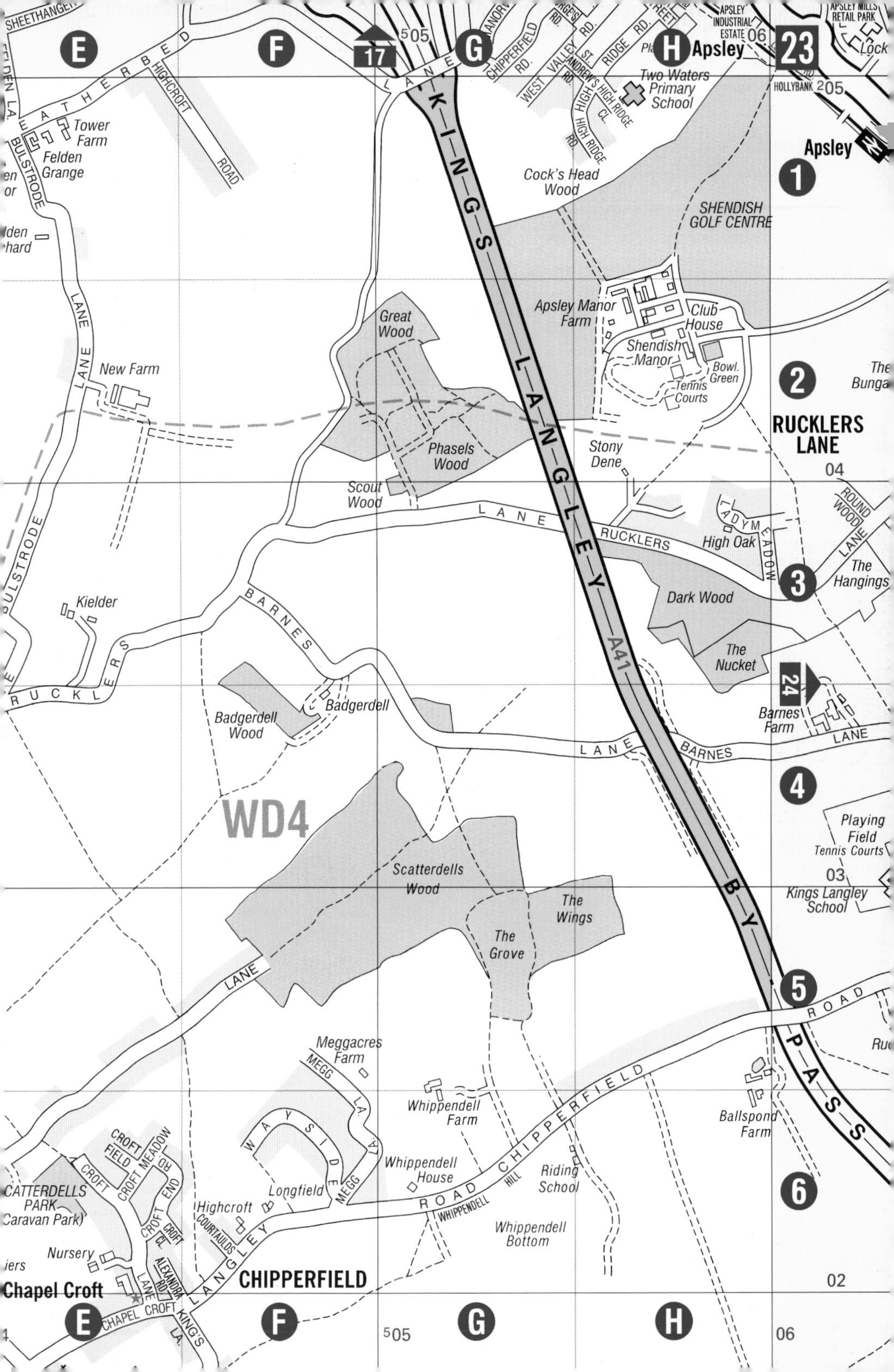
E
F
G
H
17
23
24
Apsley
Apsley Industrial Estate
Apsley Mills Retail Park
Two Waters Primary School
Cock's Head Wood
SHENDISH GOLF CENTRE
Apsley Manor Farm
Club House
Shendish Manor
Bowl. Green
Tennis Courts
RUCKLERS LANE
Stony Dene
Great Wood
Phasels Wood
Scout Wood
Tower Farm
Felden Grange
New Farm
Kielder
High Oak
Dark Wood
The Nucket
The Hangings
Barnes Farm
BARNES LANE
RUCKLERS LANE
KINGS LANGLEY BY PASS
A41
Badgerdell
Badgerdell Wood
WD4
Scatterdells Wood
The Grove
The Wings
Playing Field
Tennis Courts
Kings Langley School
Meggacres Farm
Whippendell Farm
Whippendell House
Riding School
Whippendell Bottom
Ballspond Farm
Longfield
Highcroft
Nursery
SCATTERDELLS PARK (Caravan Park)
Chapel Croft
CHIPPERFIELD
CHIPPERFIELD ROAD
LANGLEY ROAD
WHIPPENDELL HILL
WAYSIDE
MEGG LA.
CROFT FIELD
CROFT MEADOW
CROFT END RD.
CROFT CL.
ALEXANDRA RD.
CHAPEL CROFT
KING'S LA.
COURTAULDS
BULSTRODE LANE
FEATHERBED LANE
HIGHCROFT ROAD
SHEETHANGER
CHIPPERFIELD RD.
WEST VALLEY RD.
ST. ANDREW'S RD.
HIGH RIDGE CL.
HIGH RIDGE RD.
ROUND WOOD LANE
LADY MEADOW
HOLLYBANK
1
2
3
4
5
6
505
06
05
04
03
02

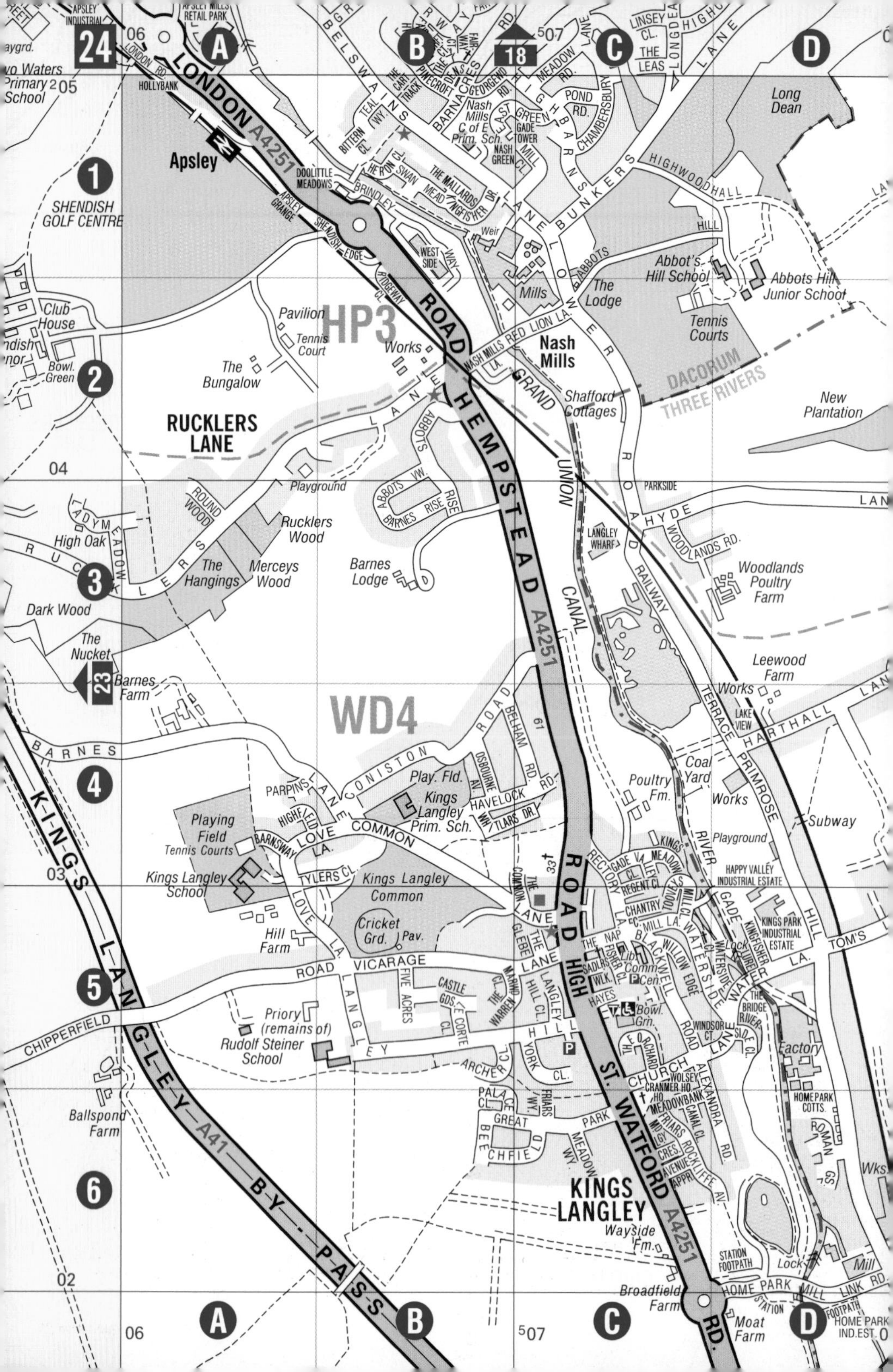

24
18
23
A
B
C
D
1
2
3
4
5
6
06
507
05
04
03
02
Apsley
APSLEY INDUSTRIAL
APSLEY MILLS RETAIL PARK
Two Waters Primary School
LONDON RD.
HOLLYBANK
LONDON ROAD A4251
APSLEY GRANGE
SHENDISH GOLF CENTRE
Club House
Shendish Manor
Bowl. Green
BELSWAINS
TEAL WY.
BITTERN CL.
THE CART TRACK
PINECROFT
BARNACRES
GEORGEWOOD RD.
Nash Mills C of E Prim. Sch.
EAST GREEN
GADE TOWER
NASH GREEN
MILL CL.
HIGHBARNS
MEADOW RD.
POND RD.
CHAMBERSBURY LANE
LINSEY CL.
THE LEAS
LONGDEAN
HIGHWOOD
Long Dean
HIGHWOODHALL
HILL
DOOLITTLE MEADOWS
HERON CL.
SWAN MEAD
BRINDLEY
THE MALLARDS
KINGFISHER DR.
Weir
WEST SIDE WAY
SHENDISH EDGE
RIDGEWAY CL.
BUNKERS LANE
LOWER ROAD
ABBOTS
Mills
The Lodge
Abbot's Hill School
Abbots Hill Junior School
Tennis Courts
HP3
Pavilion
Tennis Court
Works
The Bungalow
RUCKLERS LANE
NASH MILLS LA.
RED LION LA.
Nash Mills
GRAND
Shafford Cottages
DACORUM
THREE RIVERS
New Plantation
HEMPSTEAD ROAD A4251
ABBOTS RISE
ABBOTS VW.
BARNES RISE
Playground
UNION CANAL
PARKSIDE
HYDE LANE
WOODLANDS RD.
LANGLEY WHARF
ROUND WOOD
LADYMEADOW
RUCKLERS
High Oak
Rucklers Wood
The Hangings
Merceys Wood
Barnes Lodge
Woodlands Poultry Farm
RAILWAY TERRACE
Dark Wood
The Nucket
Barnes Farm
Leewood Farm
WD4
Works
LAKE VIEW
HARTHALL LANE
BARNES
CONISTON ROAD
BELHAM RD.
OSBOURNE AV.
HAVELOCK RD.
Coal Yard
Poultry Fm.
PRIMROSE HILL
Works
Subway
PARPINS LANE
Play. Fld.
Kings Langley Prim. Sch.
BUTLARS DR.
HIGHFIELD
BARNSWAY
LOVE LA.
COMMON
Playing Field
Tennis Courts
Kings Langley School
TYLERS CL.
Kings Langley Common
Cricket Grd.
Pav.
THE COMMON
RECTORY LA.
GADE VALLEY CL.
KINGS MEADOW
REGENT CL.
CHANTRY
TOOVEY'S MILL CL.
MILL LA.
RIVER GADE
Playground
HAPPY VALLEY INDUSTRIAL ESTATE
KINGS PARK INDUSTRIAL ESTATE
KINGFISHER
TOM'S LANE
WATER LA.
WATERSIDE
Lock
BLACKWELL
WILLOW EDGE
THE NAP
FISHER CL.
SADLERS WLK.
Lib.
Comm. Cen.
Hill Farm
VICARAGE ROAD
LANGLEY HILL
THE GLEBE
FIVE ACRES
CASTLE GDS.
LE CORTE CL.
THE WARREN
MARINE
LANGLEY HILL CL.
HAYES
Bowl. Grn.
ALEXANDRA ROAD
WINDSOR CT.
LANGSIDE CL.
THE BRIDGE
RIVER
Factory
HIGH ROAD
CHIPPERFIELD
Priory (remains of)
Rudolf Steiner School
ARCHER CL.
YORK CL.
THE ORCHARD
CHURCH LANE
WOLSEY HO.
CRANMER HO.
MEADOWBANK
FRIARS WY.
PALACE CL.
GREAT PARK
BEECHFIELD
MEADOW WY.
FRIARS
CANAL CL.
ROCKLIFFE AV.
CRES.
AVENUE APPR.
HOME PARK COTTS.
ROMAN GS.
Wks.
Ballspond Farm
KINGS LANGLEY BY-PASS A41
ST. WATFORD ROAD A4251
KINGS LANGLEY
Wayside Fm.
STATION FOOTPATH
Lock
Mill
HOME PARK MILL LINK RD.
Broadfield Farm
Moat Farm
STATION FOOTPATH
HOME PARK IND.EST.
RD.

# INDEX

Including Streets, Places & Areas, Hospitals & Hospices, Industrial Estates, Selected Flats & Walkways and Selected Places of Interest.

## HOW TO USE THIS INDEX

1. Each street name is followed by its Posttown or Postal Locality and then by its map reference; e.g. Abbots Ri. *K Lan* —2B **24** is in the Kings Langley Posttown and is to be found in square 2B on page **24**. The page number being shown in bold type.
   A strict alphabetical order is followed in which Av., Rd., St., etc. (though abbreviated) are read in full and as part of the street name; e.g. Applecroft appears after Apple Cotts. but before Apple Orchard, The.

2. Streets and a selection of flats and walkways not shown on the Maps, appear in the index in *Italics* with the thoroughfare to which it is connected shown in brackets; e.g. *Albion Pl. Tring —4E **3** (off Akeman St.)*

3. Places and areas are shown in the index in **bold type**, the map reference to the actual map square in which the Town or Area is located and not to the place name; e.g. **Adeyfield. —1C 18**

4. An example of a selected place of interest is *Berkhamsted Castle. (Remains of) —6D 6*

5. An example of a hospital or hospice is HEMEL HEMPSTEAD GENERAL HOSPITAL. —3H 17

## GENERAL ABBREVIATIONS

All : Alley
App : Approach
Arc : Arcade
Av : Avenue
Bk : Back
Boulevd : Boulevard
Bri : Bridge
B'way : Broadway
Bldgs : Buildings
Bus : Business
Cvn : Caravan
Cen : Centre
Chu : Church
Chyd : Churchyard
Circ : Circle
Cir : Circus
Clo : Close
Comn : Common
Cotts : Cottages
Ct : Court
Cres : Crescent
Cft : Croft
Dri : Drive
E : East
Embkmt : Embankment
Est : Estate
Fld : Field
Gdns : Gardens
Gth : Garth
Ga : Gate
Gt : Great
Grn : Green
Gro : Grove
Ho : House
Ind : Industrial
Info : Information
Junct : Junction
La : Lane
Lit : Little
Lwr : Lower
Mc : Mac
Mnr : Manor
Mans : Mansions
Mkt : Market
Mdw : Meadow
M : Mews
Mt : Mount
Mus : Museum
N : North
Pal : Palace
Pde : Parade
Pk : Park
Pas : Passage
Pl : Place
Quad : Quadrant
Res : Residential
Ri : Rise
Rd : Road
Shop : Shopping
S : South
Sq : Square
Sta : Station
St : Street
Ter : Terrace
Trad : Trading
Up : Upper
Va : Vale
Vw : View
Vs : Villas
Vis : Visitors
Wlk : Walk
W : West
Yd : Yard

## POSTTOWN AND POSTAL LOCALITY ABBREVIATIONS

*Ab L* : Abbots Langley
*Ald* : Aldbury
*Ash G* : Ashley Green
*Ast C* : Aston Clinton
*Bell* : Bellingdon
*Berk* : Berkhamsted
*Bov* : Bovingdon
*Che* : Chesham
*Chfd* : Chipperfield
*C'bry* : Cholesbury
*Dud* : Dudswell
*Fel* : Felden
*F'den* : Frithsden
*Gt Gad* : Great Gaddesden
*Hawr* : Hawridge
*Hem H* : Hemel Hempstead
*Hem I* : Hemel Hempstead Ind. Est.
*K Lan* : Kings Langley
*Ley H* : Ley Hill
*Lit H* : Little Heath
*Nash M* : Nash Mills
*Net* : Nettleden
*N'chu* : Northchurch
*Orch* : Orchard Leigh
*Par I* : Paradise Ind. Est.
*Pic E* : Piccotts End
*Pim* : Pimlico
*Pott E* : Potten End
*Redb* : Redbourn
*St Alb* : St Albans
*Tring* : Tring
*T'frd* : Tringford
*Wat E* : Water End
*W Lth* : West Leith
*Whel* : Whelpley Hill
*Wig* : Wigginton

## INDEX

**A**bbots Hill. *Nash M* —1C **24**
Abbots Ri. *K Lan* —2B **24**
Abbots Vw. *K Lan* —3B **24**
Abel Clo. *Hem H* —2C **18**
Abstacle Hill. *Tring* —4D **2**
Acacia Gro. *Berk* —2B **14**
Acacia Wlk. *Tring* —4C **2**
Achilles Clo. *Hem H* —6B **10**
Acorn Rd. *Hem H* —3C **18**
Acre Wood. *Hem H* —3A **18**
Adams Way. *Tring* —2F **3**
**Adeyfield. —1C 18**
Adeyfield Gdns. *Hem H* —1B **18**
Adeyfield Rd. *Hem H* —2A **18**
Admiral Way. *Berk* —5H **5**
Airedale. *Hem H* —5A **10**
Akeman St. *Tring* —4E **3**
Albany Ter. *Tring* —1F **3**
Albert St. *Tring* —4E **3**
Albion Hill. *Hem H* —3H **17**
*Albion Pl. Tring —4E **3** (off Akeman St.)*
*Aldbury Gdns. Tring —1F **3** (off Morefields)*
Alderley Ct. *Berk* —2C **14**
Aldwick Ct. *Hem H* —1G **17**
Alexandra Rd. *Chfd* —6E **23**
Alexandra Rd. *Hem H* —1H **17**
Alexandra Rd. *K Lan* —5C **24**
Alex Ct. *Hem H* —1H **17**
Alison Ct. *Hem H* —1E **19**
Allandale. *Hem H* —6H **9**
Alldicks Rd. *Hem H* —4B **18**
Alleys, The. *Hem H* —1H **17**
Alma Ct. *N'chu* —5G **5**
Alma Rd. *N'chu* —5G **5**
Alsford Wharf. *Berk* —1C **14**
Alston Rd. *Hem H* —3E **17**
Alyngton. *N'chu* —4G **5**
Anchor La. *Hem H* —4F **17**
Andrews Clo. *Hem H* —6H **9**
Anelle Ri. *Hem H* —6B **18**
Anglefield Rd. *Berk* —1A **14**
Angle Pl. *Berk* —1A **14**
Anns Clo. *Tring* —4C **2**
Anson Clo. *Bov* —3F **21**
Anvil Clo. *Bov* —4H **21**
Apollo Way. *Hem H* —6B **10**
Apple Cotts. *Bov* —3G **21**
Applecroft. *N'chu* —5G **5**
Apple Orchard, The. *Hem H* —6B **10**
**Apsley. —6A 18**
Apsley Grange. *Hem H* —1A **24**
Apsley Ind. Est. *Hem H* —6H **17**
Apsley Mills Retail Pk. *Hem H* —6A **18**
Aragon Clo. *Hem H* —3E **11**
Archer Clo. *K Lan* —5B **24**
*Archway Ct. Hem H —1H **17** (off Chapel St.)*
Arden Clo. *Bov* —4G **21**
Argyll Rd. *Hem H* —3A **10**
Arkley Ct. *Hem H* —3D **10**
Arkley Rd. *Hem H* —3D **10**
*Armstrong Pl. Hem H —1H **17** (off High St.)*
Arran Clo. *Hem H* —4E **19**
Arundel Clo. *Hem H* —1D **18**
Ashby Ct. *Hem H* —2D **10**
Ashby Rd. *N'chu* —4F **5**
Ashcroft Ter. *Tring* —2E **3**
Ash Gro. *Hem H* —6B **18**
Ashley Clo. *Hem H* —4B **18**
**Ashley Green. —6H 13**
Ashlyns Ct. *Berk* —2B **14**
Ashlyns Rd. *Berk* —2B **14**
Ashmore Gdns. *Hem H* —3D **18**
Ashridge Clo. *Bov* —4F **21**
Ashridge Ri. *Berk* —6H **5**
Ash Rd. *Tring* —3D **2**
Ashtree Way. *Hem H* —3E **17**
Aspfield Row. *Hem H* —6F **9**
Astley Rd. *Hem H* —2G **17**
Aston Clinton By-Pass. *Ast C* —3A **2**
Aston Vw. *Hem H* —2C **10**
Athelstan Rd. *Hem H* —5B **18**
Aubrey La. *Redb* —1G **11**
Aubrey's Rd. *Hem H* —3C **16**

Austins Mead. *Bov* —4H **21**
Austins Pl. *Hem H* —1H **17**
Autumn Glades. *Hem H* —4E **19**
Avebury Ct. *Hem H* —6C **10**
Avenue App. *K Lan* —6C **24**
Avenue, The. *Hem H* —1C **16**
Avia Clo. *Hem H* —6H **17**
Avon Sq. *Hem H* —3B **10**
Aycliffe Dri. *Hem H* —4A **10**
Aylesbury Rd. *Tring* —4B **2**

### B

Back, The. *Pott E* —4H **7**
Badgers Cft. *Hem H* —3F **19**
*Baileys M. Hem H* —*6H* **9**
*(off High St.)*
Balcary Gdns. *Berk* —2G **13**
Balfour M. *Bov* —3G **21**
Ballinger Ct. *Berk* —2B **14**
Bank Ct. *Hem H* —3G **17**
Bank Mill. *Hem H* —1E **15**
Bank Mill La. *Berk* —2E **15**
Barberry Rd. *Hem H* —2E **17**
Barbers Wlk. *Tring* —4D **2**
Bards Corner. *Hem H* —1F **17**
Bargrove Av. *Hem H* —3E **17**
Barley Cft. *Hem H* —2E **19**
Barnacres Rd. *Hem H* —1B **24**
Barnard Way. *Hem H* —3A **18**
Barn Clo. *Hem H* —5B **18**
Barncroft Rd. *Berk* —2H **13**
Barnes La. *K Lan* —3F **23**
Barnes Ri. *K Lan* —3B **24**
Barnfield. *Hem H* —5B **18**
Barnsway. *K Lan* —4A **24**
Barra Clo. *Hem H* —5E **19**
Bartel Clo. *Hem H* —4F **19**
Basildon Sq. *Hem H* —4B **10**
Bassil Rd. *Hem H* —3H **17**
Bathurst Rd. *Hem H* —5H **9**
Bay Ct. *Berk* —1B **14**
Bayford Clo. *Hem H* —3E **11**
Bayley Mead. *Hem H* —4F **17**
Baylie Ct. *Hem H* —1A **18**
Baylie La. *Hem H* —1A **18**
Beaconsfield Rd. *Tring* —4C **2**
Beacon Way. *Tring* —2G **3**
Beaumayes Clo. *Hem H* —3F **17**
Beckets Sq. *Berk* —5A **6**
Bedford St. *Berk* —1D **14**
Bedmond Rd. *Hem H* —3E **19**
Beechcroft. *Berk* —2C **14**
Beech Dri. *Berk* —2C **14**
Beeches, The. *Tring* —3G **3**
Beechfield. *K Lan* —6B **24**
Beechfield Rd. *Hem H* —3F **17**
Beech Gro. *Tring* —3G **3**
Beech Hill Ct. *Berk* —6D **6**
Beech Pk. Homes. *Wig* —6B **4**
*Beech Wlk. Tring* —*3G* **3**
*(off Mortimer Hill)*
Beechwood Pk. *Hem H* —5D **16**
Beggars La. *Tring* —1C **4**
Belham Rd. *K Lan* —4B **24**
**Bellgate. —5A 10**
Bellgate. *Hem H* —5A **10**
Bell Grn. *Bov* —3H **21**
**Bellingdon. —6A 12**
Bell La. *Berk* —6G **5**
Belmers Rd. *Wig* —6H **3**
Belmont Rd. *Hem H* —5A **18**
Belsize Clo. *Hem H* —3C **18**
Belsize Rd. *Hem H* —3C **18**
Belswains Grn. *Hem H* —5A **18**
Belswains La. *Hem H* —5A **18**
Belton Rd. *Berk* —6A **6**
Benchleys Rd. *Hem H* —4D **16**
Bencroft Rd. *Hem H* —2A **18**
**Bennetts End. —5C 18**
Bennetts End Clo. *Hem H* —4B **18**
Bennetts End Rd. *Hem H* —3B **18**
Bennettsgate. *Hem H* —5C **18**
Benningfield Gdns. *Pott E* —5E **7**
Bentons, The. *Berk* —5H **5**

Berefield. *Hem H* —6H **9**
Berkeley Sq. *Hem H* —2E **11**
**Berkhamsted. —5G 5**
Berkhamsted By-Pass. *Berk &*
   *Hem H* —3A **14**
Berkhamsted By-Pass. *Tring &*
   *N'chu* —4H **3**
*Berkhamsted Castle. —6D 6*
   *(Remains of)*
*Berkhamsted Golf Course. —3E 7*
Berkhamsted Hill. *Pott E* —5E **7**
Berkhamsted Pl. *Berk* —5B **6**
Berkhamsted Rd. *Hem H* —5B **8**
   *(in two parts)*
*Berkhamsted Sports Cen. —6A 6*
Berkley Ct. *Hem H* —1C **14**
   *(off Mill St.)*
Berrymead. *Hem H* —6B **10**
Betjeman Way. *Hem H* —6F **9**
Betty's La. *Tring* —3E **3**
Bevan Clo. *Hem H* —4H **17**
Billet La. *Berk* —6A **6**
   *(in two parts)*
Bingham Clo. *Hem H* —6D **8**
Birches, The. *Hem H* —5D **16**
Birch Grn. *Hem H* —1D **16**
Birch Leys. *Hem H* —3E **11**
Birch Rd. *N'chu* —4F **5**
Birch Tree Gro. *Ley H* —6B **20**
Bishops Mead. *Hem H* —4F **17**
Bittern Clo. *Hem H* —1B **24**
Bit, The. *Wig* —6H **3**
Blacksmith Row. *Hem H* —3E **19**
Blackwater La. *Hem H* —5G **19**
Blackwell Hall La. *Che* —6B **20**
Blackwell Rd. *K Lan* —5C **24**
Blaine Clo. *Tring* —1E **3**
Blair Clo. *Hem H* —2D **10**
Bloomfield Cotts. *Bell* —6B **12**
Bluebell Clo. *Hem H* —3C **16**
Bodwell Clo. *Hem H* —1E **17**
Bohemia. *Hem H* —1A **18**
Boleyn Clo. *Hem H* —3E **11**
Borrowdale Ct. *Hem H* —5A **10**
Boswick La. *Dud* —3F **5**
**Botley. —6A 20**
Botley La. *Che* —6A **20**
Botley Rd. *Che* —6A **20**
Botley Rd. *Hem H* —3C **10**
Bottom Ho. La. *Tring* —1C **4**
Bounce, The. *Hem H* —6H **9**
Boundary Way. *Hem H* —5E **11**
**Bourne End. —4A 16**
Bourne End La. *Hem H* —1G **21**
Bourne End La. Ind. Est.
   *Hem H* —4H **15**
Bourne Rd. *Berk* —6H **5**
Bourne Rd. *Bov* —3G **21**
**Bovingdon. —3G 21**
Bovingdon Ct. *Bov* —4G **21**
**Bovingdon Green. —5G 21**
Bovingdon Grn. La. *Bov* —4F **21**
Bowmans Ct. *Hem H* —6A **10**
Bowyers. *Hem H* —6H **9**
Boxhill. *Hem H* —6H **9**
Box La. *Hem H* —1A **22**
**Boxmoor. —4F 17**
*Boxmoor Golf Course. —6D 16*
Boxted Rd. *Hem H* —6D **8**
Boxwell Rd. *Berk* —1B **14**
Brackenhill. *Berk* —6E **7**
Brackens, The. *Hem H* —1H **17**
Bracknell Pl. *Hem H* —4B **10**
Braemar Turn. *Hem H* —2D **10**
Brakynbery. *N'chu* —4G **5**
Brambling Rd. *Hem H* —4A **18**
Bramfield Pl. *Hem H* —2C **10**
Branksome Clo. *Hem H* —1C **18**
Breakspear Way. *Hem H* —2E **19**
Brereton Ct. *Hem H* —4A **18**
Briarcliff. *Hem H* —1C **16**
Briar Clo. *Pott E* —4G **7**
Briar Way. *Berk* —2C **14**
Brickfield Av. *Hem H* —3D **18**

Brickfields Ind. Est. *Hem H* —4D **10**
Brickmakers La. *Hem H* —3D **18**
Bridge Ct. *Hem H* —1D **14**
Bridge St. *Berk* —1D **14**
Bridge St. *Hem H* —3H **17**
Bridge, The. *K Lan* —5D **24**
Bridgewater Hill. *N'chu* —4H **5**
Bridgewater Rd. *Berk* —5A **6**
Bridle Way. *Berk* —5A **6**
Briery Way. *Hem H* —6C **10**
Brimstone Wlk. *Hem H* —5H **5**
Brindley Way. *Hem H* —1B **24**
Britwell Dri. *Pott E* —5E **7**
Broadcroft. *Hem H* —6H **9**
Broadfield Rd. *Hem H* —2B **18**
Broad St. *Hem H* —1H **17**
Broadwater. *Berk* —6C **6**
Bronte Cres. *Hem H* —2D **10**
Brookfield Clo. *Tring* —3F **3**
Brook La. *Berk* —6B **6**
Brook St. *Tring* —3F **3**
Broom Hill. *Hem H* —3C **16**
Broomstick La. *Che* —6A **20**
Brownlow Rd. *Berk* —6C **6**
Browns Spring. *Pott E* —4A **8**
Brunel Ct. *Hem H* —4H **17**
Bryanston St. *Hem H* —3H **17**
Buckingham Rd. *Tring* —4C **2**
Bulbourne Clo. *Berk* —5H **5**
Bulbourne Clo. *Hem H* —3E **17**
Bulbourne Ct. *Tring* —1E **5**
Bulbourne Rd. *Tring* —1E **3**
Bullace Clo. *Hem H* —1E **17**
Bullbeggars La. *Berk* —2F **15**
**Bulstrode. —5C 22**
Bulstrode Clo. *Chfd* —5C **22**
Bulstrode La. *Fel & Chfd* —1E **23**
Buncefield La. *Hem H* —5E **11**
   *(in three parts)*
Buncefield Terminal. *Hem H* —6F **11**
Bungalows, The. *Berk* —1F **5**
Bunkers La. *Hem H* —1C **24**
Bunstrux. *Tring* —3D **2**
Bunyan Clo. *Tring* —2F **3**
Burleigh Rd. *Hem H* —3E **19**
Burnet Clo. *Hem H* —3A **18**
Burns Dri. *Hem H* —2D **10**
Bury Ct. *Hem H* —2G **17**
Bury Grn. *Hem H* —1G **17**
Bury Hill. *Hem H* —1F **17**
Bury Hill Clo. *Hem H* —1G **17**
Bury Ri. *Hem H* —1B **22**
Bury Rd. *Hem H* —1G **17**
Bury, The. *Hem H* —1G **17**
Bushells Wharf. *Tring* —1E **3**
Bushfield Rd. *Bov* —1A **22**
Butts End. *Hem H* —1E **17**
Byron Pl. *Hem H* —2D **10**
Byways. *Berk* —6E **7**

### C

Caernarvon Clo. *Hem H* —2H **17**
Caernarvon Ct. *Hem H* —2H **17**
Caister Clo. *Hem H* —3A **18**
Callisto Ct. *Hem H* —5B **10**
Camborne Dri. *Hem H* —4A **10**
Cambrian Way. *Hem H* —5A **10**
Cambridge Ter. *Berk* —1D **14**
Camden Ho. *Hem H* —2H **17**
Campion Rd. *Hem H* —3C **16**
Campions Ct. *Berk* —1B **14**
**Campus, The. —6E 11**
Canal Ct. *Berk* —1E **15**
Candlefield Clo. *Hem H* —5C **18**
Candlefield Rd. *Hem H* —5C **18**
Candlefield Wlk. *Hem H* —5C **18**
Cangels Clo. *Hem H* —4E **17**
Captains Wlk. *Berk* —2D **14**
Cardy Rd. *Hem H* —3F **17**
Careys Cft. *Berk* —4A **6**
Carman Ct. *Tring* —4D **2**
Caro La. *Hem H* —4D **18**
Carpenters Yd. *Tring* —4F **3**
Carrington Pl. *Tring* —2F **3**

Cart Track, The. *Hem H* —1B **24**
Castle Gdns. *K Lan* —5B **24**
Castle Gateway. *Berk* —5C **6**
Castle Hill. *Berk* —5C **6**
Castle Hill Av. *Berk* —6C **6**
Castle Hill Clo. *Berk* —6C **6**
Castle Hill Ct. *Berk* —5C **6**
Castle Mead. *Hem H* —4F **17**
Castle M. *Berk* —1D **14**
*Castle Row. Tring* —*4E* **3**
*(off Albert St.)*
Castle St. *Berk* —1C **14**
Castle Village. *Pott E* —5E **7**
Catherine Clo. *Hem H* —3D **10**
Catherine Cotts. *Tring* —3A **4**
Catkin Clo. *Hem H* —1F **17**
Catlin St. *Hem H* —5F **17**
Catsdell Bottom. *Hem H* —5D **18**
Cattsdell. *Hem H* —6A **10**
Cavalier Ct. *Berk* —1C **14**
Cedar Gro. *Bell* —5A **12**
Cedar Rd. *Berk* —2D **14**
Cedars, The. *Berk* —1E **15**
Cedar Wlk. *Hem H* —4C **18**
Cedar Way. *Berk* —2D **14**
Cemetery Hill. *Hem H* —3G **17**
Cemmaes Ct. Rd. *Hem H* —2G **17**
Cemmaes Mdw. *Hem H* —2G **17**
Centro. *Hem H* —6E **11**
Chaffinches Grn. *Hem H* —6C **18**
Chalet Clo. *Berk* —1H **13**
Chalfont Clo. *Hem H* —3D **10**
Chalkdell Hill. *Hem H* —2A **18**
Chambersbury La. *Hem H* —6C **18**
   *(in two parts)*
Champneys. *Wig* —5B **4**
Chantry Clo. *K Lan* —5C **24**
**Chapel Croft. —6E 23**
Chapel Cft. *Chfd* —6E **23**
Chapel Crofts. *N'chu* —5G **5**
Chapel Mdw. *Tring* —1E **3**
Chapel St. *Berk* —1D **14**
Chapel St. *Hem H* —1H **17**
Chapel St. *Tring* —4D **2**
Chardins Clo. *Hem H* —1D **16**
Charles St. *Berk* —1B **14**
Charles St. *Hem H* —3G **17**
Charles St. *Tring* —4E **3**
Charlesworth Clo. *Hem H* —4H **17**
Charter Ct. *Hem H* —2H **17**
Chartridge Way. *Hem H* —2E **19**
Chasden Rd. *Hem H* —5D **8**
Chase, The. *Hem H* —3A **18**
Chaucer Clo. *Berk* —6H **5**
Chaucer Wlk. *Hem H* —2D **10**
**Chaulden. —3D 16**
Chaulden Ho. Gdns. *Hem H* —4D **16**
Chaulden La. *Hem H* —4B **16**
Chaulden Ter. *Hem H* —3D **16**
Chelsing Ri. *Hem H* —3E **19**
Chenies Ct. *Hem H* —3D **10**
*Cherry Bank. Hem H* —*1H* **17**
*(off Chapel St.)*
Cherry Bounce. *Hem H* —6H **9**
Cherry Gdns. *Tring* —4D **2**
Cherry Orchard. *Hem H* —6E **9**
Cherry Tree La. *Hem H* —3E **11**
*Chesham & Ley Hill*
   *Golf Course. —6C 20*
Chesham Rd. *Ash G* —6A **12**
Chesham Rd. *Berk* —3B **14**
Chesham Rd. *Bov* —4D **20**
Chesham Rd. *Che* —6H **13**
Chesham Rd. *Wig* —3A **4**
Chestnut Clo. *Pott E* —5H **7**
Chestnut Dri. *Berk* —2D **14**
Chestnuts, The. *Hem H* —6D **18**
Cheviots. *Hem H* —5B **10**
Childwick Ct. *Hem H* —5D **18**
Chilham Clo. *Hem H* —3A **18**
Chiltern Clo. *Berk* —6H **5**
Chiltern Corner. *Berk* —6H **5**
Chiltern Pk. Av. *Berk* —5A **6**

Chilterns. Hem H —6A 10
Chiltern Vs. Tring —4C 2
Chiltern Way. Tring —2G 3
Chilters, The. Berk —6H 5
**Chipperfield. —6E 23**
Chipperfield Rd. Bov & Chfd —3H 21
Chipperfield Rd. Hem H —6G 17
Chipperfield Rd. K Lan —6G 23
Cholesbury Rd. C'bry —6A 4
Christchurch Ho. Tring —4E 3
Christchurch Rd. Hem H —1H 17
Christchurch Rd. Tring —3D 2
Christopher Ct. Hem H —5H 17
Church Ga. Berk —1C 14
Church La. Berk —1C 14
Church La. Bov —3H 21
Church La. K Lan —5C 24
Church Rd. Hem H —4E 19
Church Rd. Pott E —5H 7
*Church Sq. Tring —3E 3 (off Church Yd.)*
Church St. Bov —3H 21
Church St. Hem H —6H 9
Church Yd. Tring —3E 3 (in two parts)
Clarence Rd. Berk —1C 14
Clarendon Clo. Hem H —1H 17
Claridge Ct. Berk —1C 14
Claverton Clo. Bov —4G 21
**Clayhill. —4A 4**
Claymore. Hem H —4A 10
Clement Pl. Tring —4E 3
Cleveland Rd. Hem I —6D 10
Cleveland Way. Hem I —6D 10
Cleves Rd. Hem H —3D 10
Clifton Ct. Hem H —4H 17
Clinton End. Hem H —2E 19
Cloister Gth. Berk —1C 14
Cloisters, The. Hem H —5C 18
Cloister Wlk. Hem H —6H 9
Clover Way. Hem H —1F 17
Clyde Sq. Hem H —3B 10
Cobbetts Ride. Tring —4D 2
Cobb Rd. Berk —1H 13
Cock Gro. Berk —1D 12
Codicote Row. Hem H —2D 10
Coleridge Cres. Hem H —2D 10
Coles Hill. Hem H —6E 9
Collett Rd. Hem H —2G 17
Colne Way. Hem H —3B 10
Colonsay. Hem H —4E 19
Coltsfoot, The. Hem H —3C 16
Combe St. Hem H —2G 17
Common Fld. Wig —6H 3
Common Gdns. Pott E —5H 7
Common La. K Lan —4B 24
Commons La. Hem H —1A 18
Common, The. Berk —5F 7
Common, The. K Lan —4C 24
Compass Point. N'chu —5G 5
Concorde Dri. Hem H —2H 17
Conifers, The. Hem H —5D 16
Coniston Clo. Hem H —3E 19
Coniston Rd. K Lan —4B 24
Connaught Clo. Hem H —6C 10
Connaught Gdns. Berk —4H 5
Cooks Vennel. Hem H —6E 9
Coombe Gdns. Berk —6H 5
Cooper Way. Berk —1D 14
Copperbeech Clo. Hem H —5D 16
Coppice, The. Hem H —1D 18
Coppice, The. Wig —6G 3
Coppins Clo. Berk —1H 13
Copse, The. Hem H —6C 8
Coral Gdns. Hem H —1B 18
Coram Clo. Berk —2C 14
Corfe Clo. Hem H —3A 18
**Corner Hall. —4H 17**
Corner Hall. Hem H —4G 17 (in two parts)
Corner Hall Av. Hem H —4H 17
Cornfield Cres. N'chu —4F 5
Cornfields. Hem H —3F 17
Cotesmore Rd. Hem H —3C 16
Cotswold. Hem H —5A 10
Cotterells. Hem H —2G 17
Cotterells Hill. Hem H —2G 17
Coulser Clo. Hem H —5E 9
Counters. Tring —3D 2
Counters Clo. Hem H —2E 17
**Counters End. —2E 17**
Courtaulds. Chfd —6F 23
*Court Theatre, The. —3H 3*
Coverdale. Hem H —5A 10
Covert Clo. N'chu —5F 5
Covert Rd. N'chu —4F 5
Cow La. Tring —3H 3
Cowper Rd. Berk —1B 14
Cowper Rd. Hem H —4F 17
**Cow Roast. —2D 4**
Coxfield Clo. Hem H —3A 18
Crabtree Clo. Hem H —4H 17
Crabtree Ct. Hem H —4A 18
Crabtree La. Hem H —4H 17
Crackley Mdw. Hem H —3D 10
Craigavon Rd. Hem H —4B 10
Cranmer Ho. K Lan —5C 24
Crawley Dri. Hem H —4B 10
Crawley's La. Wig —4A 4
Crescent Rd. Hem H —2H 17
Crest Pk. Hem H —1E 19
Croft Clo. Chfd —6E 23
Croft End Rd. Chfd —6E 23
Croft Fld. Chfd —6E 23
Croft La. Chfd —6E 23
Croft Mdw. Chfd —6E 23
Crofts Path. Hem H —4C 18
Crofts, The. Hem H —3D 18
Crossett Grn. Hem H —4E 19
Crossfell Rd. Hem H —3E 19
Crossfield Clo. Berk —1H 13
Cross Oak Rd. Berk —2A 14
Crossways. Berk —2H 13
Crossways. Hem H —2D 18
Crouchfield. Hem H —3F 17
Crown Rose Ct. Tring —4E 3
Cuffley Ct. Hem H —3E 11
Cumberland Clo. Pim —6G 19
Cumberlow Pl. Hem H —3E 19
**Cupid Green. —3C 10**
Cupid Grn. La. Hem H —1A 10
Curlew Clo. Berk —2C 14
Curtis Cotts. Ash G —6H 13
Curtis Rd. Hem H —3F 19
Curtis Way. Berk —2D 14
Cuttsfield Ter. Hem H —3D 16
Cwmbran Ct. Hem H —4B 10

*Dacorum District Sports Cen. —4G 17*
Dacorum Way. Hem H —2G 17
Daggs Dell Rd. Hem H —6C 8
Daltons Wharf. Berk —1D 14
Damask Clo. Tring —3G 3
Damask Grn. Hem H —3C 16
**Dancersend. —6A 2**
Dancers End La. Tring —4A 2
Danvers Cft. Tring —2G 3
Darr's La. N'chu —6F 5
Dart, The. Hem H —3B 10
Darwin Clo. Hem H —2D 10
Datchet Clo. Hem H —3D 10
Datchworth Turn. Hem H —2E 19
Dawley Ct. Hem H —4C 10
Deaconsfield Rd. Hem H —5H 17
Dean Fld. Bov —3G 21
Deans Clo. Tring —3E 3
Deans Furlong. Tring —3E 3
Deansway. Hem H —5B 18
Dee, The. Hem H —3B 10
Deimos Dri. Hem H —5C 10
Delahay Ri. Berk —5B 6
Dell Cut Rd. Hem H —6C 10
Dellfield Av. Berk —5B 6
Dellfield Clo. Berk —5A 6
Dell Mdw. Hem H —6A 18
Dell Rd. N'chu —4F 5
Dells, The. Hem H —3D 18
Delmar Av. Hem H —3F 19
Denbigh Clo. Hem H —3A 18
Denes, The. Hem H —1B 24
Denham Clo. Hem H —3C 10
Denny's La. Berk —3H 13
Derwent Rd. Hem H —3E 19
Dickens Ct. Hem H —2D 10
Dinmore. Bov —4F 21
Dione Rd. Hem H —5B 10
Doctor's Commons Rd. Berk —1B 14
Dodds La. Pic E —4G 9
*Dolphin Sq. Tring —4E 3 (off Church Yd.)*
Donkey La. Tring —4C 2 (in two parts)
Doolittle Meadows. Hem H —1A 24
Dormers. Bov —3C 22
Dorriens Cft. Berk —4H 5
Dorset Clo. Berk —6H 5
Douglas Gdns. Berk —6H 5
Dower M. Berk —1C 14
Dowling Ct. Hem H —5H 17
Downside. Hem H —1A 18
**Drayton Beauchamp. —2A 2**
Drayton Hollow. Tring —6C 2 (in two parts)
Driftway, The. Hem H —2B 18
Driveway, The. Hem H —3F 17
Drummond Ride. Tring —2E 3
Duckmore La. Tring —6C 2
Dudley Clo. Bov —3G 21
**Dudswell. —3F 5**
Dudswell Corner. Dud —3E 5
Dudswell La. Dud —3F 5
Dudswell Mill. Dud —3E 5
Dukes Way. Berk —5A 6
Duncombe Rd. N'chu —5G 5
Dundale Rd. Tring —2D 2
Dunlin Rd. Hem H —3A 10
Dunsley Pl. Tring —4F 3
Dunster Rd. Hem H —2D 10
Dunston Hill. Tring —3E 3
Durrants Hill Rd. Hem H —5H 17
Durrants La. Berk —1G 13
Durrants Rd. Berk —6H 5
Duxons Turn. Hem H —1D 18

Eastbrook Way. Hem H —2A 18
East Flint. Hem H —1D 16 (in two parts)
East Grn. Hem H —1B 24
Eastman Way. Hem I —5C 10
East Mimms. Hem H —1A 18
Eastnor. Bov —4G 21
East St. Hem H —2H 17
Eastwick Row. Hem H —3C 18
East Wing. N'chu —4F 5
Eastwood Ct. Hem H —1C 18
Eaton Rd. Hem I —5D 10
Ebberns Rd. Hem H —5H 17
Eddy St. Berk —6A 6
Edenhall Clo. Hem H —3F 19
Edlyn Clo. Berk —6H 5
Edward Ct. Hem H —6H 17
Egerton Rd. Berk —5A 6
Eight Acres. Tring —3E 3 (in three parts)
Elizabeth Dri. Tring —1F 3
Ellen Clo. Hem H —1B 18
Ellen M. Hem H —1B 18
Ellesmere Rd. Berk —1D 14
Ellingham Clo. Hem H —6C 10
Ellingham Rd. Hem H —1B 18
Elm Ct. Berk —1B 14
Elm Grn. Hem H —6C 8
Elm Gro. Berk —1C 14
Elm Tree Wlk. Tring —2E 3
Elstree Rd. Hem H —2C 10
Emerton Ct. N'chu —4G 5
Emerton Gth. N'chu —4G 5
Emma Rothschild Ct. Tring —2E 3
Emperor Clo. Berk —4H 5
Enterprise Way. Hem I —6E 11
Epping Grn. Hem H —3D 10
Eskdale Ct. Hem H —5A 10
Essex Mead. Hem H —2C 10
Europa Rd. Hem H —5B 10
Evans Way. Tring —3F 3
Evelyn Sharp Ho. Hem H —3D 18
Everest Way. Hem H —1C 18
Evergreen Wlk. Hem H —4A 18
Exhims M. N'chu —5G 5

Fairacre. Hem H —6B 18
Fairhill. Hem H —6B 18
Fairthorn Clo. Tring —4C 2
Fairway. Hem H —6B 18
Fairway Ct. Hem H —6B 18
Falcon Ridge. Berk —2C 14
Fallowfield Wlk. Hem H —5E 9
Fantail La. Tring —3D 2
Farland Rd. Hem H —2D 18
Farmhouse La. Hem H —6C 10
Farm Pl. Berk —6H 5
Farnham Clo. Bov —4G 21
Farriers Clo. Bov —4H 21
Farthings, The. Hem H —2F 17
Faversham Clo. Tring —3E 3
Feacey Down. Hem H —6E 9
Featherbed La. Fel & Hem H —1E 23
**Felden. —6E 17**
Felden Dri. Fel —6E 17
Felden La. Fel —5D 16
Fennycroft Rd. Hem H —5D 8
Fensomes All. Hem H —1H 17
Fensomes Clo. Hem H —1H 17
Fern Ct. Berk —1B 14
Fern Dri. Hem H —3A 18
Fernville La. Hem H —2H 17
Field End Clo. Wig —6H 3
Field Rd. Hem H —3C 18
**Fields End. —6B 8**
Fields End. Tring —1E 3
Fields End La. Hem H —6B 8
Fieldway. Berk —3E 15
Field Way. Bov —3G 21
Fieldway. Wig —6H 3
Fig Tree Cotts. Tring —6H 3
Figtree Hill. Hem H —1H 17
Finchdale. Hem H —2E 17
Finch Rd. Berk —6A 6
Finway Rd. Hem I —4D 10
Firs, The. Tring —6H 3
Fir Tree Clo. Hem H —3C 18
Fisher Clo. K Lan —5C 24
Fishery Cotts. Hem H —4E 17
Fishery Pas. Hem H —4E 17
Fishery Rd. Hem H —4E 17
Five Acres. K Lan —5B 24
Flags, The. Hem H —2D 18
Flatfield Rd. Hem H —4C 18
Flaunden La. Bov —6H 21
Fletcher Way. Hem H —6G 9
Forest Av. Hem H —4H 17
Foster Rd. Hem H —4F 17
Fouracres Dri. Hem H —4B 18
Fouracres Wlk. Hem H —4B 18
Fox Clo. Wig —6H 3
Foxgloves, The. Hem H —3C 16
Fox La. Tring —5B 2 (in two parts)
Fox Rd. Wig —5G 3
Franklin Clo. Hem H —5A 18
Friars Fld. N'chu —4G 5
Friars Mead. K Lan —6C 24
Friars Wlk. Tring —4E 3
Friars Way. K Lan —6C 24
Frimley Rd. Hem H —1C 16
**Frithsden. —3H 7**
Frithsden Copse. Pott E —3F 7
Frithsden Gdns. F'den —2E 7
**Frogmore End. —5H 17**
Frogmore Rd. Hem H —5H 17

Juniper Grn. Hem H —2C 16
Juno Rd. Hem H —5B 10
Jupiter Dri. Hem H —6B 10

Katherine Clo. Hem H —5A 18
Katrine Sq. Hem H —4A 10
Keats Clo. Hem H —2D 10
Keiths Rd. Hem H —3C 18
Kendale. Hem H —3D 18
Kenilworth Clo. Hem H —3A 18
Kents Av. Hem H —6H 17
Kestrel Clo. Berk —2C 14
*Kewa Ct. Berk —1B 14 (off Cross Oak Rd.)*
Kilbride Ct. Hem H —4A 10
Kilfillan Gdns. Berk —2A 14
Kilfillan Pk. Berk —1A 14
Kiln Clo. Pott E —5H 7
Kiln Cotts. Hem H —1D 18
Kilncroft. Hem H —4D 18
Kiln Ground. Hem H —4C 18
Kiln La. Ley H —6B 20
Kimps Way. Hem H —5C 18
Kimpton Clo. Hem H —3D 10
Kinderscout. Hem H —4C 18
King Edward St. Hem H —6G 17
Kingfisher Dri. Hem H —1B 24
Kingfisher Lure. K Lan —5D 24
King Harry St. Hem H —3H 17
Kings Av. Hem H —6B 18
Kings Ct. Berk —6C 6
Kingsdale Rd. Berk —2A 14
Kingshill. Berk —2B 14
Kingshill Way. Berk —3A 14
Kingsland Rd. Hem H —4E 17
King's La. Chfd —6F 23
**Kings Langley. —5C 24**
Kings Langley By-Pass. Hem H & K Lan —4B 16
Kingsley Wlk. Tring —3E 3
Kings Mdw. K Lan —4C 24
*Kings M. Hem H —1H 17 (off George St.)*
Kings Pk. Ind. Est. K Lan —5D 24
Kings Rd. Berk —2A 14
King St. Tring —4E 3
Kipling Gro. Hem H —2D 10
Kite Fld. N'chu —4G 5
Kitsbury Ct. Berk —1B 14
Kitsbury Rd. Berk —1B 14
Kitsbury Ter. Berk —1B 14
Knightsbridge Way. Hem H —1A 18
Knights Orchard. Hem H —6D 8
Knoll Grn. Hem H —6A 10

Ladymeadow. K Lan —3H 23
Laidon Sq. Hem H —4H 9
Lakeside. Tring —2E 3
Lake Vw. K Lan —4D 24
Lamsey Rd. Hem H —4H 17
Lancaster Dri. Bov —3F 21
Lane End. Berk —1H 13
Langdale Ct. Hem H —5A 10
Langdon St. Tring —4E 3
Langley Av. Hem H —5A 18
Langley Cres. K Lan —6C 24
Langley Hill. K Lan —5B 24
Langley Hill Clo. K Lan —5C 24
Langley Rd. Chfd —6F 23
Langley Wharf. K Lan —3C 24
Lanrick Copse. Berk —6E 7
Lapwing Clo. Hem H —4A 10
Larches, The. Berk —6F 5
Larch Ri. Berk —6A 6
Larch Vw. Hem H —3F 17
Larchwood Rd. Hem H —6B 10
Larkspur Clo. Hem H —1C 16
Latimer Clo. Hem H —3C 10
Laureate Way. Hem H —6F 9
Laurel Bank. Fel —5D 16
Laurel Clo. Hem H —1B 18
Laurels, The. Pott E —5H 7
Lavender Wlk. Hem H —6H 9
Lawn La. Hem H —4H 17
Lawns, The. Hem H —1C 16
Layhill. Hem H —6H 9
Leafy La. W Lth —6C 2
Leaside. Hem H —3E 19
Leas, The. Hem H —6C 18
Le Corte Clo. K Lan —5B 24
Lee Farm Clo. Che —6A 20
Leggfield Ter. Hem H —2D 16
Letchfield. Ley H —6B 20
Leven Way. Hem H —4H 9
**Leverstock Green. —3E 19**
Leverstock Grn. Rd. Hem H —1C 18 (HP2, HP3, in two parts)
Leverstock Grn. Rd. Hem H —3E 19 (HP3)
Leverstock Grn. Way. Hem H —2E 19
**Ley Hill. —6B 20**
Ley Hill Rd. Bov —5E 21
Leys Rd. Hem H —4A 18
Leys, The. Tring —3F 3
Lilly La. Hem H —4F 11
Limes, The. Hem H —5H 17
Lime Wlk. Hem H —4B 18
Limit Home Pk. N'chu —4F 5
Lincoln Ct. Berk —1B 14
Linden Glade. Hem H —3F 17
Lindens, The. Hem H —5D 16
Lindlings. Hem H —3C 16
Linington Av. Che —6A 20
Linsey Clo. Hem H —6C 18
Lismore. Hem H —4E 19
Lit. Bridge Rd. Berk —1D 14
Little Catherells. Hem H —6D 8
Little Ct. Berk —6A 6
*Little Hay Golf Complex. —6H 15*
**Little Heath. —6H 7**
Lit. Heath La. Lit H —3H 15
Little Hoo. Tring —3D 2
Little Mimms. Hem H —1H 17
Little Orchard. Hem H —6C 10
Little Pk. Bov —4G 21
Little Rd. Hem H —1A 18
**Little Tring. —1D 2**
Lit. Tring Rd. Tring —1D 2
Livingstone Wlk. Hem H —4B 10
Lochnell Rd. Berk —5H 5
Lockers Pk. La. Hem H —2F 17
*Lockers, The. Hem H —1F 17 (off Lockers Pk. La.)*
Lockers, The. Hem H —1G 17 (Bury Hill)
Lombardy Clo. Hem H —3F 19
Lombardy Dri. Berk —2D 14
Lomond Rd. Hem H —4H 9
London Rd. Berk & Hem H —2E 15
London Rd. Tring —3F 3
*Londrina Ct. Berk —1D 14 (off Londrina Ter.)*
Londrina Ter. Berk —1D 14
Long Arrotts. Hem H —6F 9
Longbridge Clo. Tring —1E 3
Long Chaulden. Hem H —2C 16
Longcroft La. Bov —4A 22
Longdean Pk. Hem H —6C 18
Longfield. Hem H —4D 18
Longfield Gdns. Tring —4C 2
Longfield Rd. Tring —4C 2
Long John. Hem H —4B 18
Longlands. Hem H —2B 18
Long La. Bov —6F 21
Long Mimms. Hem H —1A 18
Long Vw. Berk —5A 6
Lonsdale. Hem H —5A 10
Loriners Link. Hem H —6A 10
Loring Rd. Berk —2C 14
Louisa Cotts. Tring —4E 3
Louise Wlk. Bov —4G 21
Love La. K Lan —5A 24
Lovel Clo. Hem H —2E 17
Lwr. Adeyfield Rd. Hem H —1H 17
Lower Barn. Hem H —5B 18
Lower Emms. Hem H —3E 11
Lwr. Kings Rd. Berk —1C 14
Lower Sales. Hem H —3D 16
Lower Yott. Hem H —3B 18
Loxley Rd. Berk —5G 5
Loxwood Clo. Hem H —5D 16
Lucks Hill. Hem H —2C 16
Ludgate. Tring —3D 2
Lycrome Rd. Che —4A 20
**Lye Green. —4A 20**
Lye Grn. Rd. Che —4A 20
Lyme Av. N'chu —4F 5
Lyne Way. Hem H —6D 8
Lyrical Way. Hem H —6F 9
Lysander Clo. Bov —3F 21

McDougall Rd. Berk —1D 14
Maddox Rd. Hem H —2D 18
Mallards, The. Hem H —1B 24
Malmes Cft. Hem H —4E 19
Maltings, The. Hem H —1H 17
Malus Clo. Hem H —1C 18
Malvern Way. Hem H —6B 10
Manan Clo. Hem H —4E 19
Mandelyns. N'chu —4G 5
Manley Rd. Hem H —1A 18
Manor Av. Hem H —5H 17
Manor Clo. Berk —1C 14
Manor Rd. Tring —2E 3
Manor St. Berk —1D 14
Manorville Rd. Hem H —6G 17
Mansard Clo. Tring —4E 3
Manscroft Rd. Hem H —6F 9
Mansion Dri. Tring —4F 3
Maple Grn. Hem H —6C 8
**Maple Hill. —6D 20**
Marchmont Grn. Hem H —6H 9
Mariner Way. Hem H —3C 18
Marion Wlk. Hem H —3B 10
Market Oak La. Hem H —6C 18
Mark Rd. Hem I —6C 10
Marlborough Ri. Hem H —4A 10
Marlin Clo. Berk —6H 5
Marlin Copse. Berk —2A 14
Marlin End. Berk —2H 13
Marlin Hill. Tring —6E 3
Marlins Turn. Hem H —5F 9
Marlowes. Hem H —1H 17
Marlowes Cen., The. Hem H —3G 17
Marnham Ri. Hem H —6E 9
Marriotts Way. Hem H —4H 17
Marshcroft La. Tring —2G 3
Marston Clo. Hem H —3C 18
Martian Av. Hem H —5B 10
Martindale Rd. Hem H —1D 16
Marwood Clo. K Lan —5B 24
Mary Cross Clo. Wig —6H 3
Masons Rd. Hem H —1D 18
Masons Yd. Berk —1D 14
Maxted Clo. Hem I —6E 11
Maxted Corner. Hem I —5D 10
Maxted Rd. Hem I —5D 10
Mayflower Av. Hem H —2H 17
Maylands Av. Hem I —5D 10
Maylands Ct. Hem H —1D 18
Maynard Rd. Hem H —3H 17
Mayo Gdns. Hem H —3F 17
Meadowbank. K Lan —6C 24
Meadowbrook. Tring —2F 3
Meadow Clo. Tring —3E 3
Meadowcroft. N'chu —4F 5
Meadow Rd. Berk —5A 6
Meadow Rd. Hem H —6C 18
Meadows, The. Hem H —1C 16
Meadow Way. Hem H —5D 16
Meadow Way. K Lan —6C 24
Meads, The. N'chu —5H 5
*Meads, The. Tring —3F 3 (off Mortimer Hill)*
Meadway. Berk —6E 7
Medway Rd. Hem H —3B 10
Medwick M. Hem H —3D 10
Megg La. Chfd —6F 23
Melings, The. Hem H —3D 10
Melsted Rd. Hem H —2F 17
Mendip Way. Hem H —5A 10
Mentmore Vw. Tring —2D 2
Mercers. Hem H —6A 10
Mercury Wlk. Hem H —5B 10
Merling Cft. N'chu —4G 5
Merrow Dri. Hem H —1C 16
Mersey Pl. Hem H —3B 10
Micklefield Rd. Hem H —2E 19
Micklem Dri. Hem H —1D 16
Midcot Way. Berk —5H 5
Middlehill. Hem H —2C 16
Middleknights Hill. Hem H —5E 9
Middle La. Bov —5G 21
Middle Rd. Berk —1B 14
Midland Rd. Hem H —2H 17
Millbank. Hem H —6H 17
Mill Clo. Hem H —1C 24
Mill Clo. Pic E —4F 9
Millfield. Berk —6D 6
Millfield Wlk. Hem H —5C 18
Mill Gdns. Tring —3E 3
Mill La. K Lan —5C 24
Mill St. Berk —1C 14
Mill St. Hem H —5H 17
Mill Vw. Rd. Tring —3D 2
Milton Ct. Hem H —3D 10
Milton Dene. Hem H —3D 10
Mimas Rd. Hem H —5B 10
Minstrel Clo. Hem H —1F 17
Missden Dri. Hem H —4E 19
Miswell La. Tring —3C 2
Mitchell Clo. Bov —3F 21
Molyneaux Av. Bov —3F 21
Montague Rd. Berk —1B 14
Montgomerie Clo. Berk —5A 6
Montgomery Av. Hem H —1C 18
Moor End Rd. Hem H —3G 17
Moore Rd. Berk —5H 5
Moorland Rd. Hem H —4E 17
Moorside. Hem H —5F 17
Moors La. Orch —4B 20
Morefields. Tring —1E 3
Morpeth Clo. Hem H —3A 18
Mortain Dri. Berk —5H 5
Mortimer Hill. Tring —3F 3
Mortimer Ri. Tring —3F 3
Mount Clo. Hem H —2D 16
Mountfield Rd. Hem H —2A 18
Mulberry Clo. Tring —2E 3
Mulberry Ct. Hem H —1H 17
Murray Rd. Berk —5C 6
Museum Ct. Tring —4E 3
Musk Hill. Hem H —3C 16
Myrtle Grn. Hem H —1C 16

Nap, The. K Lan —5C 24
Nash Grn. Hem H —1B 24
**Nash Mills. —2B 24**
Nash Mills La. Hem H —2B 24
Nathaniel Wlk. Tring —2E 3
*National Film Archive. —3A 14*
Neighbours Cotts. Tring —6H 3
Neptune Dri. Hem H —6A 10
Netherby Clo. Tring —1G 3
Nettlecroft. Hem H —3F 17
**Nettleden. —2A 8**
Nettleden Rd. Pott E & Net —5F 7
Newell Ri. Hem H —5A 18
Newell Rd. Hem H —5A 18
Newfield La. Hem H —2A 18
Newford Clo. Hem H —1D 18
**New Ground. —1C 4**
Newground Rd. Ald —1C 4
Newhall Clo. Bov —3G 21
Newhouse Rd. Bov —2G 21
Newlands Rd. Hem H —1C 16
**New Mill. —2F 3**
New Mill Ter. Tring —1F 3
New Pk. Dri. Hem H —1D 18
New Provident Pl. Berk —1D 14

New Rd. *Berk* —6D **6**
New Rd. *Chfd* —6D **22**
New Rd. *N'chu* —5G **5**
New Rd. *Tring* —1E **3**
New St. *Berk* —1D **14**
Nicholas Way. *Hem H* —6B **10**
Nidderdale. *Hem H* —5B **10**
Nightingale Lodge. *Berk* —1B **14**
Nightingale Wlk. *Hem H* —2E **11**
Ninian Rd. *Hem H* —3A **10**
Nokes, The. *Hem H* —6E **9**
Norcott Ct. *Berk* —2F **5**
**Norcott Hill. —1F 5**
Normandy Ct. *Hem H* —1H **17**
Normandy Dri. *Berk* —5B **6**
Northaw Clo. *Hem H* —3D **10**
Northbridge Rd. *Berk* —5H **5**
**Northchurch. —5G 5**
**Northchurch Common. —2H 5**
*Northchurch Common. —1G 5*
Northchurch Comn. *Berk* —4H **5**
Northend. *Hem H* —4D **18**
Northfield Rd. *Tring* —1H **3**
Northridge Way. *Hem H* —3D **16**
North Rd. *Berk* —1B **14**
Nursery Gdns. *Tring* —3F **3**
Nursery Ter. *Pott E* —4H **7**
Nye Way. *Bov* —4G **21**

Oak Clo. *Hem H* —6B **18**
Oakdene Rd. *Hem H* —6B **18**
Oak Dri. *Berk* —2D **14**
Oaklands. *Berk* —1A **14**
*Oak Lawns. Tring —4E 3*
*(off Clement Pl.)*
Oaks, The. *Berk* —1A **14**
Oak St. *Hem H* —6B **18**
Oak Vw. *Bov* —4H **21**
Oak Wood. *Berk* —2H **13**
(in two parts)
Oddy Hill. *Wig* —4G **3**
Okeford Clo. *Tring* —3D **2**
Okeford Dri. *Tring* —4D **2**
Okeley La. *Tring* —4C **2**
Old Bell Ct. *Hem H* —1H **17**
Old Ct. Grn. *Pott E* —5A **8**
Old Crabtree La. *Hem H* —3A **18**
Old Dean. *Bov* —4G **21**
Oldfield Rd. *Hem H* —3C **16**
Old Fishery La. *Hem H* —5D **16**
Old Ho. Ct. *Hem H* —2B **18**
Old Ho. Rd. *Hem H* —2B **18**
Old Maple. *Hem H* —2B **10**
Old Meadow Clo. *Berk* —3A **14**
Old Mill Gdns. *Berk* —1D **14**
Old Oak Gdns. *N'chu* —4G **5**
Old Orchard M. *Berk* —2C **14**
*Old Town Hall Arts Cen., The. —1G 17*
Oliver Clo. *Hem H* —6A **18**
Oliver Ri. *Hem H* —6A **18**
Oliver Rd. *Hem H* —6B **18**
Oliver's Clo. *Pott E* —4A **8**
Olive Taylor Ct. *Hem H* —4B **10**
Oram Pl. *Hem H* —5H **17**
Orchard Av. *Berk* —1A **14**
Orchard Clo. *Hem H* —6B **10**
Orchard Ct. *Bov* —3G **21**
**Orchard Leigh. —3A 20**
Orchards, The. *Tring* —4D **2**
Orchard St. *Hem H* —5H **17**
Orchard, The. *K Lan* —5C **24**
Orchard Way. *Bov* —4G **21**
Oronsay. *Hem H* —4D **18**
Osborne Way. *Wig* —6H **3**
Osbourne Av. *K Lan* —4B **24**
Osmington Pl. *Tring* —3D **2**
Oxfield Clo. *Berk* —2A **14**

Paddock Way. *Hem H* —2C **16**
Pages Cft. *Berk* —5A **6**
Palace Clo. *K Lan* —6B **24**
Pallas Rd. *Hem H* —6B **10**
Pamela Av. *Hem H* —5B **18**
Pancake La. *Hem H* —3F **19**
Panxworth Rd. *Hem H* —4H **17**
**Paradise. —2G 17**
Paradise. *Par I* —3H **17**
Paradise Ind. Est. *Hem H* —3H **17**
Pk. Hill Rd. *Hem H* —2F **17**
Park Ho. *Berk* —6B **6**
Parklands. *Hem H* —5D **8**
Park La. *Hem H* —3H **17**
Park Ri. *N'chu* —5G **5**
Park Rd. *Hem H* —4G **17**
Park Rd. *Tring* —5D **2**
Parkside. *Hem H* —3C **24**
Park St. *Berk* —6B **6**
Park St. *Tring* —4E **3**
Pk. View Ct. *Berk* —1B **14**
Pk. View Rd. *Berk* —1B **14**
Parkwood Dri. *Hem H* —2D **16**
Parpins. *K Lan* —4A **24**
Parr Cres. *Hem H* —3D **10**
Parsonage Clo. *Tring* —3E **3**
Parsonage Ct. *Tring* —4E **3**
Parsonage Pl. *Tring* —4E **3**
Paston Rd. *Hem H* —6H **9**
Pastures, The. *Hem H* —1C **16**
Patmore Link Rd. *Hem H* —2E **19**
Paxton Rd. *Berk* —1D **14**
Paynes Fld. Clo. *N'chu* —5F **5**
Peacocks Clo. *Berk* —5H **5**
Pea La. *N'chu* —6E **5**
(in two parts)
Peartree Clo. *Hem H* —1E **17**
Peartree Rd. *Hem H* —1E **17**
Peascroft Rd. *Hem H* —5C **18**
Pelham Ct. *Hem H* —2E **19**
Pembridge Chase. *Bov* —4F **21**
Pembridge Clo. *Bov* —4F **21**
Pembridge Rd. *Bov* —4G **21**
Pemsel Ct. *Hem H* —4A **18**
Pendley Beeches. *Tring* —4H **3**
Pennine Way. *Hem H* —5B **10**
Penrose Ct. *Hem H* —4A **10**
Pentagon Pk. *Hem I* —6E **11**
Pentland. *Hem H* —5B **10**
Peppett's Grn. *Che* —5A **12**
Perry Grn. *Hem H* —3C **10**
Pescot Hill. *Hem H* —6F **9**
Peterlee Ct. *Hem H* —4B **10**
Peter's Pl. *N'chu* —5G **5**
Pheasant Clo. *Berk* —2C **14**
Pheasant Clo. *Tring* —1F **3**
Phoebe Rd. *Hem H* —5B **10**
Phyllis Courtnage Ho. *Hem H* —6H **9**
**Piccotts End. —4G 9**
Piccotts End. *Hem H* —4G **9**
Piccotts End La. *Hem H* —5G **9**
(in two parts)
Piccotts End Rd. *Hem H* —4F **9**
Pierian Spring. *Hem H* —6F **9**
Pine Clo. *Berk* —1B **14**
Pinecroft. *Hem H* —6B **18**
Pinecroft Ct. *Hem H* —6B **18**
Pines, The. *Hem H* —6D **16**
Pine Tree Clo. *Hem H* —1H **17**
Pinetree Gdns. *Hem H* —4A **18**
Pine Wlk. *N'chu* —4F **5**
Pinewood Gdns. *Hem H* —2F **17**
Piper's Hill. *Gt Gad* —1A **8**
Pirton Ct. *Hem H* —1B **18**
Pix Farm La. *Hem H* —3H **15**
Pixies Hill Cres. *Hem H* —4D **16**
Pixies Hill Rd. *Hem H* —3D **16**
Plaiters Clo. *Tring* —3E **3**
Plantation Wlk. *Hem H* —5E **9**
Plough La. *Pott E* —4H **7**
Plover Clo. *Berk* —2C **14**
Pluto Ri. *Hem H* —6A **10**
Pocketsdell La. *Bov* —4D **20**
Poets Chase. *Hem H* —6F **9**
Polehanger La. *Hem H* —6C **8**
Pollywick Rd. *Wig* —6H **3**
Pond Clo. *Tring* —3E **3**
Pond Rd. *Hem H* —1C **24**
Poplars, The. *Hem H* —3F **17**
Poppy Clo. *Hem H* —1C **16**
**Potten End. —5H 7**
Potten End Hill. *Wat E* —3C **8**
**Pouchen End. —3B 16**
Pouchen End La. *Hem H* —6B **8**
Poynders Hill. *Hem H* —3E **19**
Primrose Clo. *Hem H* —3C **16**
Primrose Hill. *K Lan* —4D **24**
Prince Edward St. *Berk* —1C **14**
Prince Pk. *Hem H* —3E **17**
Prince's Clo. *Berk* —5A **6**
Princes Ct. *Hem H* —5F **17**
Priory Ct. *Berk* —1C **14**
Priory Gdns. *Berk* —1C **14**
Progression Cen., The. *Hem I* —5C **10**
Pudding La. *Hem H* —6E **9**
**Pudds Cross. —5E 21**
Puller Rd. *Hem H* —3E **17**
Pulleys Clo. *Hem H* —1D **16**
Pulleys La. *Hem H* —6C **8**
(in three parts)
Punch Bowl La. *Hem H & St Alb* —5F **11**
Punchbowl Pk. *Hem H* —5F **11**
Putters Cft. *Hem H* —3B **10**

Quantocks. *Hem H* —5B **10**
Quartermass Clo. *Hem H* —1E **17**
Quartermass Rd. *Hem H* —1E **17**
Queens Rd. *Berk* —6A **6**
Queen's Sq., The. *Hem H* —2B **18**
Queen St. *Tring* —4E **3**
Queensway. *Hem H* —1G **17**
Quendell Wlk. *Hem H* —2A **18**
Quinces Cft. *Hem H* —6E **9**

Raglan Ho. *Berk* —1A **14**
Railway Ter. *K Lan* —3C **24**
Rambling Way. *Pott E* —5H **7**
Ramscote La. *Bell* —6B **12**
Ramson Ri. *Hem H* —3C **16**
*Randall Pk. —6H 9*
Randalls Ride. *Hem H* —6H **9**
Ranelagh Rd. *Hem H* —2D **18**
Rannoch Wlk. *Hem H* —4H **9**
Rant Mdw. *Hem H* —4C **18**
Ranworth Clo. *Hem H* —4H **17**
Rathlin. *Hem H* —5D **18**
Ravensdell. *Hem H* —1D **16**
Ravens La. *Berk* —1D **14**
Ravens Wharf. *Berk* —1D **14**
Raybarn Rd. *Hem H* —6E **9**
Rectory La. *Berk* —1C **14**
Rectory La. *K Lan* —4C **24**
Redbourn Rd. *Hem H* —4C **10**
Reddings. *Hem H* —4C **18**
Redditch Ct. *Hem H* —4B **10**
Red Lion La. *Hem H* —2C **24**
Red Lodge Gdns. *Berk* —2A **14**
Redwood Dri. *Hem H* —4A **18**
Regal Ct. *Tring* —4E **3**
Regency Heights. *Hem H* —2H **17**
Regent Clo. *K Lan* —5C **24**
Reson Way. *Hem H* —3F **17**
Reynolds Clo. *Hem H* —1E **17**
Rhymes, The. *Hem H* —6F **9**
Ribblesdale. *Hem H* —5A **10**
Rice Clo. *Hem H* —1B **18**
Ridge Lea. *Hem H* —2D **16**
Ridge Vw. *Tring* —2G **3**
Ridgeway. *Berk* —1H **13**
Ridgeway Clo. *Hem H* —1B **24**
Ripley Way. *Hem H* —1C **16**
Risedale Clo. *Hem H* —5A **18**
Risedale Hill. *Hem H* —5A **18**
Risedale Rd. *Hem H* —5A **18**
Ritcroft Clo. *Hem H* —3D **18**
Ritcroft Dri. *Hem H* —3D **18**
Ritcroft St. *Hem H* —3D **18**
Riverbank. *Pic E* —4G **9**
River Pk. *Hem H* —4E **17**
River Pk. Ind. Est. *Berk* —5A **6**
Riversend Rd. *Hem H* —5G **17**
Riverside Clo. *K Lan* —5D **24**
Riverside Gdns. *Berk* —6A **6**
Robbs Clo. *Hem H* —6E **9**
Robe End. *Hem H* —6D **8**
Robertson Rd. *Berk* —1D **14**
Robin Hill. *Berk* —2C **14**
Robin Hood Mdw. *Hem H* —3B **10**
Robinsfield. *Hem H* —2E **17**
Robins Rd. *Hem H* —4C **18**
Rockcliffe Av. *K Lan* —6C **24**
Rodwell Yd. *Tring* —4E **3**
Roefields Clo. *Fel* —6E **17**
Roman Gdns. *K Lan* —6D **24**
Romany Ct. *Hem H* —1E **19**
Rosebery Way. *Tring* —2F **3**
Roseheath. *Hem H* —2C **16**
Rosehill. *Berk* —1B **14**
Rosehill Ct. *Hem H* —4E **17**
Rosewood Ct. *Hem H* —1C **16**
Rossgate. *Hem H* —6E **9**
**Rossway. —2E 13**
Rossway La. *Tring* —3C **4**
Rothesay Ct. *Berk* —1A **14**
Rothschild Ct. *Berk* —4E **5**
Roughdown Av. *Hem H* —5E **17**
Roughdown Rd. *Hem H* —5F **17**
Roughdown Vs. Rd. *Hem H* —5E **17**
Round Wood. *K Lan* —3A **24**
Rowans, The. *Hem H* —2E **17**
Rowcroft. *Hem H* —3C **16**
Rowley Wlk. *Hem H* —3E **11**
Royal Ct. *Hem H* —5A **18**
*Royal Oak Cotts. Hem H —6G 9*
*(off High St.)*
Roydon Ct. *Hem H* —2C **10**
**Rucklers Lane. —2A 24**
Rucklers La. *K Lan* —4E **23**
Rumballs Clo. *Hem H* —5C **18**
Rumballs Rd. *Hem H* —5C **18**
Runcorn Cres. *Hem H* —4B **10**
Runham Rd. *Hem H* —4A **18**
Rushmere La. *Orch* —4A **20**
Russell Pl. *Hem H* —5F **17**
Rutland Gdns. *Hem H* —1B **18**
Ryder Clo. *Bov* —4G **21**
Ryecroft Clo. *Hem H* —3E **19**
Rymill Clo. *Bov* —4G **21**

Sacombe Rd. *Hem H* —6D **8**
Saddlers Wlk. *K Lan* —5C **24**
Saffron La. *Hem H* —1E **17**
Sainfoin End. *Hem H* —6C **10**
St Agnells Ct. *Hem H* —4C **10**
St Agnells La. *Hem H* —3B **10**
St Albans Hill. *Hem H* —5A **18**
St Albans Rd. *Hem H* —4H **17**
St Andrew's Rd. *Hem H* —6H **17**
St Anthonys Av. *Hem H* —4D **18**
St Barnabas Ct. *Hem H* —2C **18**
St David's Clo. *Hem H* —3F **19**
St Edmunds. *Berk* —2C **14**
St George's Rd. *Hem H* —6G **17**
St Johns Clo. *Hem H* —4F **17**
St John's Rd. *Hem H* —4E **17**
St John's Well Ct. *Berk* —6B **6**
St John's Well La. *Berk* —6B **6**
St Katherine's Way. *Berk* —4H **5**
St Lawrence Clo. *Bov* —3G **21**
St Magnus Ct. *Hem H* —4D **18**
St Margaret's Clo. *Berk* —2D **14**
St Margarets Way. *Hem H* —2E **19**
*St Mary Magdalene's Chapel. (Remains of) —2E 13*
St Mary's Av. *N'chu* —5F **5**
St Marys Clo. *Hem H* —1G **17**
St Mary's Ct. *Hem H* —1H **17**
St Mary's Rd. *Hem H* —1H **17**
St Michaels Av. *Hem H* —4D **18**

St Nicholas Mt. *Hem H* —2D **16**
St Paul's Rd. *Hem H* —1H **17**
St Peter's Hill. *Tring* —3E **3**
Salmon Mdw. *Hem H* —6H **17**
Salter's Clo. *Berk* —5H **5**
Sandalls Spring. *Hem H* —6D **8**
Sanday Clo. *Hem H* —4D **18**
Sanders Clo. *Hem H* —6B **18**
Sanders Rd. *Hem H* —6C **18**
Sandmere Clo. *Hem H* —3C **18**
Sandon Clo. *Tring* —3D **2**
Sandridge Clo. *Hem H* —2C **10**
Saracen Est. *Hem I* —6D **10**
Saracen Ind. Area. *Hem I* —6C **10**
Saracens Head. *Hem H* —1C **18**
Sarratt Av. *Hem H* —3C **10**
Sarum Pl. *Hem H* —4A **10**
Satinwood Ct. *Hem H* —4A **18**
Saturn Way. *Hem H* —5B **10**
Sawyers Way. *Hem H* —2B **18**
Sayers Gdns. *Berk* —5A **6**
Scatterdells La. *Chfd* —6D **22**
School Gdns. *Pott E* —5H **7**
School Row. *Hem H* —3D **16**
Scriveners Clo. *Hem H* —2A **18**
Seaton Rd. *Hem H* —5H **17**
Sebright Rd. *Hem H* —4E **17**
Selden Hill. *Hem H* —3H **17**
Semphill Rd. *Hem H* —5A **18**
Severnmead. *Hem H* —5A **10**
Seymour Ct. *N'chu* —5G **5**
Seymour Ct. *Tring* —3E **3**
Seymour Cres. *Hem H* —2A **18**
Seymour Rd. *Hem H* —5G **5**
Shantock Hall La. *Bov* —5E **21**
Shantock La. *Bov* —6D **20**
Sharpcroft. *Hem H* —6H **9**
Sharpes La. *Hem H* —4H **15**
Sheepcote Rd. *Hem H* —2B **18**
Sheephouse Rd. *Hem H* —4B **18**
Sheethanger La. *Fel* —6E **17**
Shelley M. *Hem H* —5F **17**
Shendish Edge. *Hem H* —1B **24**
*Shendish Golf Cen.* —1H **23**
Shenley Ct. *Hem H* —3D **10**
Shenley Rd. *Hem H* —2C **10**
Shenstone Hill. *Berk* —6E **7**
Shepherds Grn. *Hem H* —3C **16**
Sheppey's La. *K Lan & Ab L*
          —5D **24**
Sherbourne Clo. *Hem H* —3A **18**
Sheridan Clo. *Hem H* —3F **17**
Sherwood Pl. *Hem H* —4B **18**
Shire Ct. *Hem H* —1C **18**
**Shootersway. —1H 13**
Shootersway. *Berk* —5D **4**
Shootersway La. *Berk* —2H **13**
Shootersway Pk. *Berk* —4H **13**
Shothanger Way. *Bov* —1B **22**
Shrubbery, The. *Hem H* —1C **16**
Shrub Hill Rd. *Hem H* —3D **16**
Shrublands Av. *Berk* —1A **14**
Shrublands Rd. *Berk* —6A **6**
Shugars Grn. *Tring* —3F **3**
Sidford Clo. *Hem H* —2D **16**
Sidings, The. *Hem H* —2H **17**
Silk Mill Way. *Tring* —2E **3**
Silverthorn Grn. *Hem H* —6D **18**
Simmonds Ri. *Hem H* —4H **17**
Simon Dean. *Bov* —3G **21**
Six Acres. *Hem H* —5C **18**
*Ski Cen.* —4B **18**
Sleddale. *Hem H* —5A **10**
Sleets End. *Hem H* —6F **9**
Slippershill. *Hem H* —1H **17**
Small Acre. *Hem H* —2D **16**
Smithfield. *Hem H* —6H **9**
Snowhill Cotts. *Ash G* —6H **13**
Solway. *Hem H* —6B **10**
Someries Rd. *Hem H* —6D **8**
Sonnets, The. *Hem H* —1F **17**
S. Bank Rd. *Berk* —5H **5**
Southernwood Clo. *Hem H* —1C **18**
S. Hill Rd. *Hem H* —2G **17**

S. Park Gdns. *Berk* —6B **6**
S. View Vs. *Berk* —2E **15**
Sovereign Pk. *Hem I* —6D **10**
Speedwell Clo. *Hem H* —3C **16**
Spencer Way. *Hem H* —5E **9**
Spinney, The. *Berk* —2H **13**
Spring Fld. Rd. *Berk* —4H **5**
Springfield Rd. *Hem H* —1B **18**
Spring La. *Hem H* —6D **8**
Spring Way. *Hem H* —6D **10**
Square, The. *Hem H* —2H **17**
*Square, The. Pott E* —4H **7**
  (off Front, The)
Squires Ride. *Hem H* —2B **10**
Squirrel Chase. *Hem H* —1C **16**
Stable End Cotts. *Tring* —2A **4**
Stag La. *Berk* —6B **6**
Standring Ri. *Hem H* —5F **17**
Stanier Ri. *Berk* —4H **5**
Stanley Gdns. *Tring* —4D **2**
Station App. *Hem H* —5E **17**
Station Footpath. *K Lan* —6D **24**
  (in two parts)
Station Rd. *Berk* —6D **6**
Station Rd. *Hem H* —4F **17**
Station Rd. *K Lan* —5D **24**
Station Rd. *Tring* —3F **3**
Stephyns Chambers. *Hem H*
          —3H **17**
Stevenage Ri. *Hem H* —4B **10**
Stocks Mdw. *Hem H* —1C **18**
Stonelea Rd. *Hem H* —4B **18**
Stoney Clo. *N'chu* —5H **5**
Stoneycroft. *Hem H* —2E **17**
Stoney La. *Bov* —3H **21**
Stoney La. *Chfd* —6C **22**
Stoney La. *Hem H* —5G **15**
Storey St. *Hem H* —6H **17**
Stornoway. *Hem H* —4D **18**
Strandburgh Pl. *Hem H* —4D **18**
Stratford Way. *Hem H* —5F **17**
Stratton Pl. *Tring* —3E **3**
*Streamside Ct. Tring* —1F **3**
  (off Morefields)
Stroma Clo. *Hem H* —4E **19**
Stronsay Clo. *Hem H* —4E **19**
Stuarts Clo. *Hem H* —4H **17**
Sugar La. *Hem H* —4H **15**
Sulgrave Cres. *Tring* —2G **3**
Summer Ct. *Hem H* —6H **9**
Sundew Rd. *Hem H* —3C **16**
Sunmead Rd. *Hem H* —6H **9**
Sunnyhill Rd. *Hem H* —2F **17**
Sunrise Cres. *Hem H* —5A **18**
*Sun Sq. Hem H* —1H **17**
  (off Chapel St.)
Surrey Pl. *Tring* —4E **3**
Sutton Clo. *Tring* —1F **3**
Swallowdale La. *Hem I* —5C **10**
Swan Mead. *Hem H* —1B **24**
Sweetbriar Clo. *Hem H* —5E **9**
Swing Ga. La. *Berk* —3D **14**
Sycamore Dri. *Tring* —3F **3**
Sycamore Ri. *Berk* —2D **14**
Sycamores, The. *Hem H* —5D **16**
Sylvan Clo. *Hem H* —3C **18**

**T**albot Ct. *Hem H* —4H **17**
Tamar Grn. *Hem H* —3B **10**
Tannsfield Dri. *Hem H* —6B **10**
Tannsmore Clo. *Hem H* —6B **10**
Taransay. *Hem H* —4D **18**
Tattershall Dri. *Hem H* —2D **10**
Taverners. *Hem H* —6A **10**
Teal Way. *Hem H* —5E **9**
Tedder Rd. *Hem H* —1C **18**
Teesdale. *Hem H* —5A **10**
Temple Mead. *Hem H* —6H **9**
Tennis Cotts. *Berk* —6C **6**
Tenzing Rd. *Hem H* —2C **18**
*Terrace, The. Tring* —4E **3**
  (off Akeman St.)
Tethys Rd. *Hem H* —5B **10**

Tewin Rd. *Hem H* —2E **19**
Thames Av. *Hem H* —3B **10**
Thatchers Cft. *Hem H* —4A **10**
Thistle Rd. *Hem H* —3C **16**
Thistlecroft. *Hem H* —3F **17**
Thistles, The. *Hem H* —1F **17**
Thomas Ct. *N'chu* —5H **5**
Thorncroft. *Hem H* —6D **18**
Thorne Clo. *Hem H* —4F **17**
Thorntree Dri. *Tring* —3D **2**
Three Cherry Trees Cvn. Pk.
          *Hem H* —4D **10**
Three Cherry Trees La. *Hem I*
          —4D **10**
Three Clo. La. *Berk* —1C **14**
Three Corners. *Hem H* —4C **18**
Thumpers. *Hem H* —6A **10**
Tile Kiln Clo. *Hem H* —3D **18**
Tile Kiln Cres. *Hem H* —3D **18**
Tile Kiln La. *Hem H* —3C **18**
Timplings Row. *Hem H* —6F **9**
Tinkers La. *Wig* —5C **4**
Tintagel Clo. *Hem H* —3H **9**
Tiree Clo. *Hem H* —4D **18**
Titan Rd. *Hem H* —5B **10**
Tollpit End. *Hem H* —5E **9**
Toms Cft. *Hem H* —3A **18**
Tom's La. *K Lan* —5D **24**
Tooveys Mill Clo. *K Lan* —5C **24**
Torridge Wlk. *Hem H* —3B **10**
Torrington Rd. *Berk* —1B **14**
Tortoiseshell Way. *Berk* —5H **5**
Torwood Clo. *Berk* —1H **13**
*Tourist Info. Cen.* —3H **17**
Tower Clo. *Berk* —2A **14**
**Tower Hill. —6D 22**
Tower Hill. *Chfd* —5C **22**
Towers Rd. *Hem H* —1A **18**
*Town Hall Arc. Berk* —1C **14**
  (off High St.)
Townsend. *Hem H* —6H **9**
Trebellan Dri. *Hem H* —1B **18**
Treehanger Clo. *Tring* —3F **3**
Tremaine Gro. *Hem H* —4A **10**
Tresco Rd. *Berk* —6H **5**
Tresilian Sq. *Hem H* —3C **10**
Trevalga Way. *Hem H* —4A **10**
Trevelyan Way. *Berk* —5B **6**
**Tring. —4E 3**
Tring By-Pass. *Tring* —4B **2**
Tring Ford Rd. *T'frd* —1E **3**
Tring Hil. *Ast C & Tring* —4A **2**
*Tring Pk.* —5F **3**
Tring Rd. *N'chu* —4F **5**
**Tring Wharf. —1F 3**
Trinity M. *Hem H* —3F **19**
Trinity Wlk. *Hem H* —3F **19**
Triton Way. *Hem H* —5B **10**
Trouvere Pk. *Hem H* —6F **9**
Tudor Orchard. *N'chu* —5G **5**
Turners Hill. *Hem H* —3A **18**
Turnpike Grn. *Hem H* —4B **10**
Tweed Clo. *Berk* —6B **6**
Twist, The. *Wig* —5H **3**
Two Beeches. *Hem H* —3B **10**
Two Dells La. *Ash G*
          —6H **13** & 1A **20**
Two Gates La. *Bell* —6A **12**
**Two Waters. —5H 17**
Two Waters Rd. *Hem H* —4G **17**
Two Waters Way. *Hem H* —6G **17**
Tylers Clo. *K Lan* —4A **24**
Tylers Hill Rd. *Che* —6A **20**
Typleden Clo. *Hem H* —6H **9**

**U**llswater Rd. *Hem H* —4E **19**
Underacre Clo. *Hem H* —1C **18**
Union Grn. *Hem H* —1H **17**
Up. Ashlyns Rd. *Berk* —2B **14**
Up. Barn. *Hem H* —5B **18**
Up. Bourne End. La. *Hem H* —1D **20**
Up. Bourne End. La. *Hem H* —5H **15**
**Upper Dunsley. —4G 3**

Up. Hall Pk. *Berk* —2D **14**
Upper Sales. *Hem H* —3D **16**
Uranus Rd. *Hem H* —6B **10**

**V**alley Grn. *Hem H* —2D **10**
Valley Rd. *N'chu* —5H **5**
Valleyside. *Hem H* —2D **16**
Valpy Clo. *Wig* —6H **3**
Varney Clo. *Hem H* —2D **16**
Varney Rd. *Hem H* —2D **16**
Vauxhall Rd. *Hem H* —2C **18**
**Venus Hill. —6H 21**
Venus Hill. *Bov* —6G **21**
Verney Clo. *Berk* —6H **5**
Verney Clo. *Tring* —2G **3**
Vesta Rd. *Hem H* —6B **10**
Veysey Clo. *Hem H* —4F **17**
Vicarage Clo. *Hem H* —4G **17**
Vicarage Gdns. *Pott E* —4H **7**
Vicarage La. *Bov* —2H **21**
Vicarage La. *K Lan* —5B **24**
Vicarage Rd. *Pott E* —4G **7**
Vicarage Rd. *Wig* —6H **3**
Victoria Pl. *Hem H* —2H **17**
Victoria Rd. *Berk* —2D **14**
Victory Rd. *Berk* —6A **6**
Village Cen. *Hem H* —3E **19**
Village M. *Bov* —3G **21**

**W**adley Clo. *Hem H* —3B **18**
Walnut Gro. *Hem H* —2H **17**
*Walter Rothschild Zoological*
          *Mus., The.* —4E **3**
  *(Natural History Mus.)*
Wannion Clo. *Orch* —6A **20**
Wareside. *Hem H* —2C **10**
Warmark Rd. *Hem H* —6C **8**
**Warners End. —1C 16**
Warners End Rd. *Hem H* —2E **17**
Warren, The. *K Lan* —5B **24**
Washington Av. *Hem H* —3H **9**
**Water End. —2D 8**
Water End Moor. *Wat E* —2D **8**
Water End Rd. *Pott E* —5H **7**
Waterhouse St. *Hem H* —2G **17**
Waterhouse, The. *Hem H* —3G **17**
Water La. *Berk* —1C **14**
Water La. *Bov* —5G **21**
Water La. *K Lan* —5D **24**
Waterside. *Berk* —1D **14**
Waterside. *K Lan* —5C **24**
Waterside Clo. *K Lan* —5D **24**
Watford Rd. *K Lan* —6C **24**
Watling Clo. *Hem H* —4A **10**
Waveney. *Hem H* —3B **10**
Wayfarers Pk. *Berk* —1H **13**
Wayside. *Chfd* —6F **23**
Wayside, The. *Hem H* —3E **19**
Weavers Rd. *Tring* —3C **2**
Welkin Grn. *Hem H* —1E **19**
Wellbrook M. *Tring* —3F **3**
Wellbury Ter. *Hem H* —2E **19**
Well Cft. *Hem H* —1F **17**
Wellen Ri. *Hem H* —5A **18**
Wellswood Clo. *Hem H* —1D **18**
Welwyn Ct. *Hem H* —4B **10**
Wensleydale. *Hem H* —5B **10**
Westcroft. *Tring* —4E **3**
Westerdale. *Hem H* —5A **10**
Western Rd. *Tring* —4D **2**
Westfield Rd. *Berk* —5G **5**
*West Herts College.* —1G **17**
**West Leith. —6C 2**
West Leith. *W Lth* —5C **2**
*West Pas. Tring* —4E **3**
  (off Albert St.)
Westray. *Hem H* —4E **19**
Westridge Clo. *Hem H* —2D **16**
West Rd. *Berk* —6A **6**
Westron Gdns. *Tring* —3F **3**
West Side. *Hem H* —1B **24**
W. Valley Rd. *Hem H* —1G **23**

# Westview Ri.—Youngfield Rd.

Westview Ri. *Hem H* —1H **17**
Westwick Clo. *Hem H* —3F **19**
Westwick Row. *Hem H* —2F **19**
West Wing. *N'chu* —4F **5**
Weymouth St. *Hem H* —6H **17**
Wharfedale. *Hem H* —5A **10**
Wharf La. *Dud* —2D **4**
Wharf Rd. *Hem H* —4F **17**
Wheatfield. *Hem H* —6H **9**
Wheelers La. *Hem H* —4A **18**
**Whelpley Hill. —2D 20**
Whelpley Hill Pk. *Whel* —2D **20**
Whippendell Hill. *Ab L* —6G **23**
Whitebroom Rd. *Hem H* —6C **8**
White Hart Dri. *Hem H* —3B **18**
White Hart Rd. *Hem H* —3C **18**
White Hill. *Berk* —6C **14**
(Ashley Green)
Whitehill. *Berk* —6D **6**
(Berkhamstead)
White Hill. *Hem H* —3D **16**
Whitehill Ct. *Berk* —6D **6**
Whiteleaf Rd. *Hem H* —5G **17**
White Lion St. *Hem H* —6H **17**

Whitestone Wlk. *Hem H* —5E **9**
Whitewood Rd. *Berk* —1A **14**
Whitlars Dri. *K Lan* —4B **24**
Whitmores Wood. *Hem H* —1D **18**
Whytingham Rd. *Tring* —3G **3**
Wick Rd. *Wig* —6G **3**
Widford Ter. *Hem H* —2C **10**
Widmore Dri. *Hem H* —6C **10**
Wiggington Bottom. *Wig* —3A **4**
**Wigginton. —6H 3**
**Wigginton Bottom. —3A 4**
*Wilderness, The. Berk —1C 14*
*(off Church La.)*
Wilkinson Way. *Hem H* —6B **18**
William Ct. *Hem H* —6H **17**
William St. *Berk* —1D **14**
Willow Edge. *K Lan* —5C **24**
Willows La. *Wat E* —2D **8**
Willows, The. *Hem H* —6D **10**
Willow Way. *Hem H* —6F **9**
Winchdells. *Hem H* —5C **18**
Windermere Clo. *Hem H* —3E **19**
Winding Shot. *Hem H* —1E **17**
Windmill Rd. *Hem H* —2A **18**

Windmill Way. *Tring* —3D **2**
Winds End Clo. *Hem H* —6C **10**
Windsor Clo. *Bov* —4G **21**
Windsor Clo. *Hem H* —4A **18**
Windsor Ct. *K Lan* —5C **24**
Wingrave Rd. *Tring* —2F **3**
Winifred Rd. *Hem H* —6H **17**
**Winkwell. —4B 16**
Winkwell N. Vw. *Hem H* —4B **16**
Winston Gdns. *Berk* —1H **13**
Wolsey Ho. *K Lan* —5C **24**
Wolsey Rd. *Hem H* —3H **17**
Woodcock Hill. *Berk* —6G **5**
Wood Cres. *Hem H* —3H **17**
Wood End Clo. *Hem H* —1E **19**
Wood Farm Rd. *Hem H* —2A **18**
Woodfield Dri. *Hem H* —4F **19**
Woodfield Gdns. *Hem H* —4F **19**
Woodhall La. *Hem H* —1A **18**
Woodland Av. *Hem H* —3F **17**
Woodland Clo. *Hem H* —3F **17**
Woodland Clo. *Tring* —5D **2**
Woodland Pl. *Hem H* —3F **17**
Woodlands Av. *Berk* —2D **14**

Woodlands Rd. *Nash M* —3C **24**
Wood La. *Par I* —3H **17**
Wood La. End. *Hem H* —1C **18**
Woodman Rd. *Hem H* —4A **18**
Woods Pl. *Tring* —4E **3**
Wood Vw. *Hem H* —6F **9**
Woolmer Dri. *Hem H* —2E **19**
Wootton Dri. *Hem H* —3B **10**
Wrensfield. *Hem H* —2E **17**
Wroxham Av. *Hem H* —4H **17**
Wye, The. *Hem H* —3C **10**

**Y**eomans Ct. *Hem H* —2C **10**
Yeomans Ride. *Hem H* —2C **10**
Yew Tree Clo. *Ley H* —6A **20**
Yew Tree Ct. *Hem H* —4E **17**
Yew Tree Dri. *Bov* —4H **21**
York Clo. *K Lan* —5C **24**
York Way. *Hem H* —3A **18**
Youngfield Rd. *Hem H* —1D **16**